Komm mit!

Holt German
Level 2

Practice and Activity
Book

HOLT, RINEHART AND **WINSTON**
Harcourt Brace & Company

Austin • New York • Orlando • Atlanta • San Francisco • Boston • Dallas • Toronto • London

Contributing Writers:

Patricia Callahan
Ulrike Puryear
Patricia Casey Sutcliffe

Photography Credits

Cover: (tl), (cl), HRW Photo / George Winkler
Cover Collage: HRW Photo / Andrew Yates
Photo credits: Page 25, 32, 33, HRW Photo / George Winkler

Contents

KAPITEL 1

Bei den Baumanns

■ Los geht's!

1 You have been introduced to Sebastian. Now introduce yourself. Answer the questions on the German club introduction form then introduce yourself to the club.

Willkommen!

Wie heißt du?

Ich heiße _____.

Wie alt bist du?

Ich bin _____ Jahre alt.

Wo wohnst du?

Ich wohne in _____.

Hast du Geschwister? Wie viele?

Ich habe _____ Geschwister: _____ Bruder und _____ Schwester .
Brüder Schwestern

Welche Hobbys hast du?

Ich _____

_____

_____

■ Erste Stufe

1 The following paragraph describes someone you probably recognize. Fill in the blanks with the appropriate forms of **sein** or **haben**. Then try to guess who the paragraph is describing.

Dieser Mann _____ sehr alt und sehr nett. Er _____ blaue Augen und

weiße Haare. Er _____ eine kleine, goldene Brille und einen langen, weißen Bart.

Er _____ nicht sehr groß, aber er _____ ziemlich dick. Er

_____ sehr sympathisch, und Kinder lieben ihn.

Dieser Mann heißt _____.

2 Choose five of the following adjectives. Use each of them to write a sentence about a famous person or someone you know.

> gut gelaunt   ruhig   intelligent   lustig   nervös   freundlich
> unfreundlich   sympathisch   neugierig   unsympathisch   schlecht gelaunt

BEISPIEL   **David Letterman ist sehr lustig.**

1. _____
2. _____
3. _____
4. _____
5. _____

3 Choose five of the following sports and activities. For each one you choose, write a sentence telling whether you do it or not and a reason for doing it or not doing it.

> Kochen   Gitarre spielen   Bogenschießen   100-Meter-Lauf   Langstreckenlauf
> Hürdenlauf   Lesen   Rodeln
> Fechten   Speerwerfen   Kugelstoßen   Diskuswerfen   Weitsprung   Stabhochsprung

BEISPIEL   **Kochen finde ich langweilig, weil ich das allein tun muß.**

1. _____
2. _____
3. _____
4. _____
5. _____

4 Read the following letter from Andy to his new pen pal. Complete the letter by filling in the blanks with the correct forms of the verbs in the box.

essen   wohnen   lesen   kommen
spielen   heißen   machen   gehen

Hallo!

Ich _____ Andy und _____ aus Deutschland.

Jetzt _____ ich in Texas. Ich bin nämlich Austauschschüler. Ich habe

eine Schwester. Sie _____ Christina und _____

noch in Deutschland. Meine Eltern sind auch noch da. In Texas _____

ich oft Fußball mit meinen Freunden. Wir _____ auch gern bei gutem

Wetter ins Schwimmbad. Wenn das Wetter nicht so toll ist, _____ ich

gern autobiographische Bücher. Tja, und machmal muß ich auch ein bißchen Hausaufgaben

_____, aber so wenig wie nur möglich! Bitte schreib mir bald. Ich

möchte auch gern etwas über Dich wissen.

Dein Andy

5 **Basti, Alex und Eva diskutieren über ihre Familien im Café Gute Stube.** Fill in the missing possessive adjectives. Be sure to use the correct endings.

mein   dein
sein   ihr

BASTI   So, Eva, ist _____ Bruder hier in der Stadt?

EVA   Nein, _____ Freund Tom aus Amerika ist hier zu Besuch, und sie sind

zum Wochenende nach Regensburg gefahren.

BASTI   Toll! Und du, Stefan, hast du Geschwister?

STEFAN   Ja. _____ Schwestern heißen Anne, Antje und Annika, und

_____ Bruder heißt Adam. Ihre Namen fangen alle mit A an.

BASTI   _____ Namen klingen sehr musikalisch zusammen. Sind

_____ Eltern Musiker?

6 Fill in the blanks in the following description and then draw a picture of the
unusual being **Purzelwanz** in the space provided.

Mein Freund Purzelwanz sieht einfach _____ **aus! Er ist**

_____ **Jahre alt. Er ist** _____ **und ist**

ziemlich _____ **. Er hat** _____ **Augen**

und _____ **Haare. Er spielt gern** _____

und _____ **auch sehr gut. Purzelwanz ist ein sehr interes-**

santes Wesen.

7 Write a paragraph describing someone you know or someone famous. When
you have finished, read your paragraph to your classmates and see if they can
guess who the mystery person is.

_____

_____

_____

_____

_____

_____

_____

■ Zweite Stufe

1 Match each of the following situations with the appropriate response.

1. Ein Freund hat eine tolle neue Jeans-Jacke.
2. Deine Schwester färbt ihre Haare blau und trägt nur schwarzes Leder.
3. Dein Bruder trägt ganz alte Klamotten, die ihm überhaupt nicht passen.
4. Deine Mutter hat ein neues Kleid von Chanel.

a. Der Punk-Look ist aber überhaupt nicht mehr in!
b. Du siehst scheußlich aus!
c. Deine Jacke ist echt fesch.
d. Schick!

2 For each of the following outfits, write an exchange including a compliment you might make to a friend wearing the outfit and a response.

1.   2.   3.

_____   _____   _____

_____   _____   _____

_____   _____   _____

_____   _____   _____

_____   _____   _____

_____   _____   _____

Komm mit! Level 2   Practice and Activity Book **5**

3 Bettina, Matja, and Hülya are in a secondhand store. Complete their conversation with the saleswoman by filling in the correct **möchte**-forms.

VERKÄUFERIN Haben Sie einen Wunsch?

BETTINA Ja, wir müssen auf eine Party gehen und _____ ein paar

neue Sachen kaufen.

MATJA Wir suchen den Retro-Look aus den siebziger Jahren.

VERKÄUFERIN Dann sind Sie in genau den richtigen Laden gekommen. Wir haben alles, was

Sie brauchen: Hosen, Blusen, Röcke, Schuhe. Auch Stirnbänder, Halsketten,

Armbänder, Handtaschen aus Leder. Wir haben sogar Mützen.

_____ Sie etwas sehen?

BETTINA Ich _____ ein Paar Plattformschuhe anprobieren, und

Matja _____ eine Halskette aussuchen.

MATJA Bettina, Hülya, schaut mal, die Halsketten sind super und auch sehr billig!

_____ ihr nicht eine kaufen?

HÜLYA Ich nicht. Ich habe nur 10 Mark, und ich _____ unbedingt

ein Stirnband kaufen.

BETTINA Das _____ wir beide. Ich kaufe aber auch so eine

Halskette.

4 Put the elements below into logical sentences. Don't forget to use the appropriate forms of the verbs and articles.

1. ein / ich / brauchen / Schal / .

_____

2. möchten / Paar / ich / ein / Ohrringe / .

_____

3. Cowboyhut / suchen / einen / Sie / ?

_____

4. brauchen / Bleistifte / ich / .

_____

5. haben / ein / Taschenrechner / du / ?

_____

5 You are the fashion critic for your local paper. Look at what the models are wearing and write a caption for each picture. Be as descriptive as possible.

1. 2. 3. 4.

BEISPIEL **Sie trägt**

einen Rock und eine

Jacke. Der Rock ist

lang und schön, und

die Jacke ist ganz

eng.

_____   _____   _____   _____
_____   _____   _____   _____
_____   _____   _____   _____
_____   _____   _____   _____
_____   _____   _____   _____
_____   _____   _____   _____
_____   _____   _____   _____

6 Write a dialogue between yourself and the salesperson at a secondhand clothing store. Describe the look you would like and the specific articles of clothing or accessories you need.

VERKÄUFER   Haben Sie einen Wunsch?

DU   Ich suche _____

VERKÄUFER   _____

DU   _____

VERKÄUFER   _____

DU   _____

VERKÄUFER   _____

DU   _____

VERKÄUFER   _____

◼ Zum Lesen

1 What are your plans for the future? What do you want to do after high school? Where do you want to live?

_____

_____

_____

2 Several teenagers from Leipzig were asked about their plans for the future—where they will live and what they will do when they finish school. Read their responses.

> **Marit, 15 Jahre,** geht in die 9. Klasse der Karl-Marx-Oberschule in Leipzig. Was plant Marit nach dem Abitur? „Ich werde nach dem Abi wahrscheinlich erst mal etwas Praktisches machen. Irgendwo in einem Beruf arbeiten, dann noch irgend etwas studieren. Konkrete Vorstellungen habe ich noch keine. In Leipzig bleiben? Nee, bloß weg hier!"
>
> **Stephan, 16 Jahre** (10. Klasse, Oberschule, Leipzig), möchte in einer Bank arbeiten. Will Stephan in Leipzig bleiben? „Hier sind die Bedingungen sehr schlecht. Auch in der Umwelt und so. Am liebsten möchte ich in den Süden, in die Berge."
>
> **Ulrike, 15 Jahre** (9. Klasse, Karl-Marx-Oberschule, Leipzig), möchte nach der Schule erst mal Ferien machen, „... dann was studieren, mit Kunst oder mit Umwelt, also irgend etwas Nützliches. Wenn sich in Leipzig was anbietet, bleibe ich hier. Wenn nicht, dann nicht."

Text from "Marit, 15 Jahre," from "Stephan, 16 Jahre," and from "Ulrike, 15 Jahre" from "Rüber in den Westen..." from *JUMA: Das Jugendmagazin,* 1/92, pp. 12-13. Copyright © 1992 by Tiefdruck Schwann-Bagel GmbH. Reprinted by permission of ***Tiefdruck Schwann-Bagel GmbH.***

3 Answer the following questions based on what you read.

1. Welche Schüler wollen unbedingt weg von Leipzig? _____

2. Wer weiß genau, was er oder sie machen will? _____

3. Wo will er oder sie arbeiten? _____

4. When Stephan says **"Hier sind die Bedingungen sehr schlecht. Auch in der Umwelt und so."** what do you think he means? Choose the closest paraphase of his statement.
   a. Conditions are very bad here, especially in jobs dealing with the environment.
   b. Conditions are very bad here, including environmental conditions.
   c. Conditions are very bad here, so I like to go out into the environment to get away from everything.

4 What do you know about the conditions in the new **Bundesländer**? Why do you think these teenagers are anxious to leave their homes?

_____

_____

_____

_____

▪ Landeskunde

1 Would you say your tastes in books, music, clothes, etc. are typical for an American? Fill out the survey below.

Name _____ **A**lter _____

Mein Lieblingsfach ist _____

Meine Lieblingsmusik ist _____

Mein Lieblingsbuch ist _____

Mein Lieblingsessen ist _____

Meine Lieblingsklamotten sind _____

Mein(e) Lieblingsschauspieler(in) ist _____

Meine Lieblingsgruppe ist _____

Mein Lieblingsfernsehprogramm ist _____

2 If you had been born and raised in Germany, do you think your favorites would be the same or different? Pick two of your favorite things from the survey above that you think might be different if you were a German teenager, tell how you might have responded differently, and explain why.

_____
_____
_____
_____
_____
_____
_____
_____
_____
_____
_____

■ Dritte Stufe

1 Two friends are discussing their plans. Complete their conversation by filling in the correct forms of **wollen**.

MICHI   _____ du mit mir morgen nach der Schule Tennis spielen?

STEFAN   Ich kann leider nicht. Ich gehe mit Martin ins Kino. Wir _____ den neuen Robin Williams Film sehen.

MICHI   Robin Williams!? Ich finde seine Filme doof. Meine Eltern mögen sie aber sehr gern.

Sie _____ sie immer sehen.

STEFAN   Vielleicht treffen Martin und ich deine Eltern morgen im Kino. Bist du sicher, du

_____ nicht mitkommen?

MICHI   Nein, ich habe schon gesagt, ich mag Robin Williams nicht, und ich

_____ Tennis spielen.

STEFAN   Weißt du, ob Johanna schon etwas vorhat? Vielleicht _____ sie mit dir Tennis spielen.

MICHI   Ach, das geht nicht. Ich _____ mit ihr spielen, aber ich bin zu schüchtern, um sie zu fragen!

STEFAN   Mensch, ruf sie einfach an und frag sie!

2 Johanna and Michi are discussing their plans for the following week. Complete their conversation by filling in the correct **möchte**-forms.

MICHI   Johanna, du spielst wirklich gut Tennis!

JOHANNA   Meinst du? Tennis ist mein Lieblingssport. Vielen Dank für die Einladung!

_____ du auch nächsten Donnerstag spielen?

MICHI   Gern! Um drei Uhr. Sag mal, Johanna, _____ du mit ins Café gehen? Ich habe großen Hunger!

JOHANNA   Ja gern.

Sie gehen ins Café.

STEFAN   Michi! Johanna! Setzt euch! Was _____ ihr essen? Ich lade euch ein!

MICHI   Wirklich?

STEFAN   Nein, war nur Spaß! So viel Geld habe ich leider nicht.

JOHANNA   Ich habe Geld dabei. Ich _____ ein Käsebrot und eine Cola.

MICHI   Und ich _____ auch eine Cola und eine Pizza dazu. Wo ist denn der Kellner?

STEFAN   Der Kellner kommt jetzt.

KELLNER   Was _____ Sie?

MICHI   Wir _____ beide eine Cola, und sie _____ ein Käsebrot.
Ich nehme die Pizza Nummer 4.

3 Prioritize! Rank the following activities in order of their relative importance to you.

_____ arbeiten   _____ kochen

_____ essen   _____ lesen

_____ Fernsehen schauen   _____ Musik hören

_____ Freunde treffen   _____ relaxen

_____ Hausaufgaben machen   _____ Sport machen

_____ Klamotten kaufen   _____ zu Hause helfen

4 How much time do you plan to spend next week doing the top five activities on the list above, and when do you plan to do them?

Aktivität	Wie viele Stunden nächste Woche?	Wann?

5 Now that you have thought about what you will be doing next week, write a paragraph telling your plans for the weekend.

_____

_____

_____

_____

_____

_____

_____

_____

KAPITEL 1 Dritte Stufe

6 Pick four of the following foods and indicate whether you like or dislike them, and explain why.

Brezeln Gemüse Hamburger Currywurst Käsebrot
Nudelsuppe Pizza Eis Schokolade Leberkäs Obst

BEISPIEL **Ich mag Brezeln nicht, weil sie zu salzig sind.**

1. _____

2. _____

3. _____

4. _____

7 Use the menu from **Café Freizeit** to write a conversation that you might have with a waiter there.

IMBISS-KARTE

Café Freizeit

Für den kleinen Hunger und Durst

KLEINE SPEISEN

NUDELSUPPE MIT BROT	DM 4,50
KÄSEBROT	5,20
WURSTBROT	5,10
WIENER MIT SENF — 2 PAAR	5,80
PIZZA (15 CM)	
Nr. 1 mit Tomaten und Käse	6,00
Nr. 2 mit Wurst und Käse	6,50
Nr. 3 mit Wurst, Käse und Pilzen	8,50

EIS

FRUCHTEIS KUGEL	DM 1,10
SAHNEEIS KUGEL	1,30
EISBECHER	6,80

GETRÄNKE

1 TASSE KAFFEE	DM	4,30
1 KÄNNCHEN KAFFEE		7,60
1 TASSE CAPPUCCINO		5,20
1 GLAS TEE MIT ZITRONE		3,20

ALKOHOLFREIE GETRÄNKE

MINERALWASSER	0,5 l	DM	3,50
LIMONADE, FANTA	0,5 l		3,60
APFELSAFT	0,2 l		2,50
COLA	0,2 l		3,00

KUCHEN

APFELKUCHEN	STÜCK	DM	2,80
KÄSEKUCHEN	STÜCK		3,00

_____
_____
_____
_____
_____
_____
_____
_____
_____
_____
_____
_____

Name _____ Klasse _____ Datum _____

2 Bastis Plan

■ Los geht's!

1 **Beatrice muß die Fenster putzen, und Robert hat Küchendienst.** Complete their conversation by filling in the blanks with the words and phrases in the box below.

■ tauschen   für mich   nett von dir   für dich
■   die Fenster putzen

   BEA   Was mußt du heute machen, Robert?

ROBERT   Ich habe heute Küchendienst. Was mußt du denn machen?

   BEA   Ich muß _____. Das hasse ich, weil ich so klein bin.

ROBERT   Möchtest du mit mir _____? Ich kann

   _____ die Fenster putzen, und du kannst

   _____ Küchendienst machen.

   BEA   Danke, das ist wirklich _____, Robert!

■ Erste Stufe

1 Ina wants to trade jobs with her brother. Complete their conversation with the correct forms of the verbs **können** and **müssen**.

INA   Karl, _____ du etwas für mich tun?

KARL   Wahrscheinlich nicht. Was denn?

INA   Ich möchte morgen mit Dorothea und ihrem Vater in die Stadt fahren, um eine

Ausstellung in der Neuen Pinakothek zu besuchen, aber ich _____

die Wäsche waschen und bügeln. Ich weiß, daß du am Sonntag die Garage aufräumen

und das Abendessen machen _____. _____ wir

nicht tauschen?

KARL   Aber du weißt doch, ich _____ nicht bügeln. Ich bin gegen Bügeln

allergisch!

INA   Bitte, Karl! Ich gebe dir fünf Mark! Ich werde dir auch mit der Mathearbeit helfen!

KARL   Dir hilft kein Bitten. Ein Genie in Mathe bist du auch nicht! Warum

_____ ihr nicht nächste Woche gehen?

INA   Dieses Wochenende ist das letzte Wochenende der Ausstellung.

KARL   Aber wir _____ morgen um 2 Uhr Basketball spielen, und ohne mich

_____ meine Freunde nicht spielen! Ich bin der Michael Jordan des

Teams. Ich _____ unbedingt da sein!

INA   Kein Problem! Du _____ um 9 Uhr mit der Wäsche anfangen, und

dann bist du um 2 Uhr fertig.

KARL   Na, okay, aber es kostet dich zehn Mark, und du _____ zweimal den

Rasen mähen.

INA   Nein, so wichtig ist Andy Warhol nicht. Fünf Mark und die Garage aufräumen.

KARL   7 Mark 50?

INA   5 Mark.

KARL   Na gut, für 5 Mark _____ ich es tun. Viel Spaß im Museum!

INA   Viel Spaß beim Bügeln!

2 Was gehört zusammen? Match each picture with the appropriate chore.

polieren   wischen   waschen
        wegtragen   aufräumen

1.   2.   3.   4.   5.

_____   _____   _____   _____   _____

3 Now pick three of the above jobs and write one sentence telling how often you do each.

BEISPIEL   **Ich räume einmal im Jahr die Garage auf.**

1. _____

2. _____

3. _____

4 Karl and Otto are talking about their plans for the weekend. Complete their conversation by filling in the appropriate possessive adjectives and personal pronouns.

KARL   Also, Otto, spielen wir morgen Basketball?

OTTO   Nein, ich kann nicht, und Detlef kann auch nicht.

KARL   Warum nicht?

OTTO   Ich muß für _____ Oma einkaufen gehen. Ich muß auch für

_____ den Rasen mähen.

KARL   Warum kann Detlef nicht spielen?

OTTO   Sein Vater hat gesagt, er muß morgen für _____ den Rasen mähen.

KARL   Und weißt du, Günter kann auch nicht spielen, er muß für _____ Vater das Auto

polieren. Und ich muß für _____ Schwester die Wäsche waschen und bügeln.

OTTO   Warum mußt du für _____ arbeiten?

KARL   Sie will ins Museum gehen. Sag mal, kannst du am Sonntag spielen? Meine Schwester

räumt für _____ die Garage auf, und ich habe nichts zu tun!

OTTO   Gute Idee, aber ich glaube, Günter muß für _____ Mutter etwas tun. Aber

vielleicht kann er das für _____ am Samstag tun. Ich rufe ihn an.

KARL   Ja. Okay, ich rufe Detlef an. Also, dann sehen wir uns am Sonntag. Sagen wir um 2 Uhr?

OTTO   Ja. Bis dann!

KARL   Wiederhören!

KAPITEL 2 Erste Stufe

5 Four Austrian students are spending the summer with your family: Marga, age 12; Johannes, 14; Gerd, 16; and Melina, 18. They are supposed to be treated just like members of the family, so they'll have to do some chores around the house. Make a list of things that have to be done around the house, and assign each person one or more jobs. Don't forget to include yourself.

Arbeit	Name

6 Jochen is being questioned by his mother who wants to know why he can't do the things she asked him to. Use the cues provided to formulate Jochen's excuses.

BEISPIEL   Fenster putzen / Hausaufgaben machen
Ich kann die Fenster nicht putzen, weil ich Hausaufgaben machen muß.

1. Rasen mähen / zu heiß

   _____

2. Zimmer aufräumen / keine Zeit

   _____

3. Auto polieren / Andreas will

   _____

4. Katze füttern / kein Katzenfutter

   _____

5. Staub saugen / Staubsauger ist kaputt

   _____

7 You would like to go see one of the movies from the listing below but you don't want to go alone. Make up a conversation in which you invite a friend to come along. If your friend can go, make sure you set up a time and place to meet. If your friend can't go, he or she needs to tell you why.

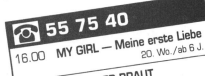

☎ 55 75 40
16.00 MY GIRL — Meine erste Liebe
                          20. Wo. / ab 6 J.
18.00 VATER DER BRAUT
20.15 mit Steve Martin   7. Wo. / ab 6 J.
22.30 DER GEFALLEN,
       DIE UHR & DER SEHR
       GROSSE FISCH   5. Wo. / ab 16 J.
       mit Bob Hoskins, Jeff Goldblum
       „Eine sehr schöne Komödie"   tz 100%

_____

_____

_____

_____

KAPITEL 2 Erste Stufe

Name _____ Klasse _____ Datum _____

■ Zum Lesen

1 Read the title of the following selection. What kind of information do you expect to find in the reading?

_____

Wie waren die Stars in der Schule?

Ulf Förster:
Ich war ein recht mittelmäßiger Schüler, nie das Gelbe vom Ei, aber es ging so. Mein Abitur hab' ich aber doch mit einem Notendurchschnitt von 2,3 gemacht. Das hätte gereicht fürs Studium, aber ich wollte schon immer auf der Bühne stehen. In der Schule hat mich die Theatergruppe mehr interessiert als Mathe oder Chemie.

Helga Dersch:
Ich bin in der Schule nicht aufgefallen, weder positiv noch negativ. Musik war immer mein Lieblingsfach. Mit meinen Mitschülern hab' ich mich immer gut verstanden. Ich denke, ich war beliebt.

Bettina Hausner:
Ich denke eigentlich immer ganz gerne an meine Schulzeit. Das Lernen ist mir leicht gefallen, und die Prüfungen hab' ich mit der linken Hand gemacht. Ich mußte nie viel Zeit für Hausaufgaben investieren — die hab' ich ganz nebenbei gemacht. Das war mein Glück, denn so hatte ich mehr Zeit, mich mit meiner geliebten Musik zu beschäftigen. Bei meinen Mitschülern war ich wohl nicht so beliebt, weil ich eher zurückgezogen und still war. Und weil ich auch eine gute Schülerin war, hielten mich viele für eine Streberin. Aber was kann ich machen, daß ich nie große Probleme in der Schule hatte?

2 Which of the Stars is most likely to have made the following statements?

_____ 1. Ich war nicht der beste Schüler, aber auch nicht schlecht.

_____ 2. Ich hatte viel Zeit für Musik.

_____ 3. Meine Mitschüler und Lehrer hatten mich gern.

_____ 4. Prüfungen waren für mich immer sehr leicht.

_____ 5. Ich wollte schon als Schüler im Theater arbeiten.

_____ 6. Ich liebte Musik vor allen anderen Fächern.

3 Have you ever heard of these stars? If so, then you know what kind of celebrities they are. If not, you can guess based on what their interests were in school. Write here what you think each of them does for a living.

Helga _____

Bettina _____

Ulf _____

KAPITEL 2 Zum Lesen

■ Zweite Stufe

1 Herr Scholler's German class is planning a party. Fill in the missing forms of the verb **sollen** to complete their discussion.

H. SCHOLLER   Was brauchen wir für unsere Fete? Machen wir eine Liste!

SCHÜLER   Käse, Chips, Kekse, Mineralwasser, Würstchen, Gemüse, Obst, Cola, Brot, Tomaten, Salat, Kartoffelsalat, einen Kuchen.

H. SCHOLLER   Gut. Und wo _____ wir die Fete halten? Wir können sie bei mir zu Hause halten.

SCHÜLER   Prima!

H. SCHOLLER   Und was müssen wir alle tun? Machen wir noch eine Liste!

SCHÜLER   Jemand _____ das Geld einsammeln. Wir _____ auch einkaufen gehen.

INGO   _____ ich den Kuchen backen?

H. SCHOLLER   Ja, gern. Grete und Max, ihr könnt mir zu Hause helfen: den Garten aufräumen, und so weiter, ja?

MAX   Gern.

GRETE   Ich kann auch helfen, aber wann?

H. SCHOLLER   Ihr _____ nicht zu früh kommen. So um 11 Uhr. Und wer will das Geld einsammeln?

BÄRBEL   Ich mache das. Wieviel _____ jeder geben?

H. SCHOLLER   Ich glaube, fünf Mark von jedem Schüler reicht bestimmt. Und wer möchte einkaufen gehen?

UDO   Ich kann das machen.

H. SCHOLLER   Okay, dann ist für unsere Fete jetzt alles in Ordnung. Wir sehen uns dann morgen und planen weiter. Tschüs!

2 Martian anthropologists have been using some not quite perfect technology to listen in on conversations in German food shops. Because they've picked up too many conversations at once, and they are all out of order, they've beamed you up to sort out the mess. Cross out the parts of the conversation which don't apply and then put what's left over in the correct order for them.

_____ Bio haben wir um 11 Uhr 40.

_____ Das macht also 6,50 zusammen. Sonst noch etwas?

_____ Nein, sie gefällt mir nicht.

_____ Ich möchte ein Pfund Hackfleisch.

_____ Ja, noch 100 Gramm Aufschnitt, bitte.

_____ Katja, diese Bluse paßt dir wirklich gut!

_____ Nein, ich kann nicht, weil ich zu viele Hausaufgaben habe.

_____ Haben Sie einen Wunsch?

_____ Nein, danke.

_____ Prima!

_____ Scheußlich!

_____ Sonst noch etwas?

_____ Wenn es morgen nicht regnet, gehen wir radeln.

3 You are making a fruit salad for your entire German class. Make a list of fruits to buy and how much of each you need to buy.

Obst	Wieviel?

4 Everybody in Herr Scholler's class has forgotten what they said they would do to help prepare for the party. Refer back to the conversation in Activity 1 above to tell them what to do.

BEISPIEL   Bärbel: **Sammle das Geld ein!**

Ingo: _____

Grete: _____

Max: _____

Udo: _____

HRW material copyrighted under notice appearing earlier in this work.

5 Udo has run into a problem. Fill in the missing past tense forms of the verb **sein** to complete the conversation, then answer the questions that follow.

UDO   Herr Scholler! Ich _____ im Supermarkt einkaufen, und ich habe das Geld verloren!

H. SCHOLLER   Ach nein! Was machen wir jetzt?

HARTMUT   Es tut mir leid. Ich bin schuld daran. Wir _____ zusammen im Supermarkt.

H. SCHOLLER   Wo _____ ihr? Vielleicht sollen wir beim Supermarkt anrufen.

HARTMUT   Gute Idee, das mache ich.
Er wählt die Telefonnummer.
Mein Freund und ich, wir _____ in Ihrem Geschäft und haben da unser Geld verloren. Haben Sie einen Geldbeutel gefunden? ... Nein? Naja. Danke. Wiederhören.
Er legt den Hörer auf.
Das Geld ist nicht da.

UDO   Warte mal, Hartmut, hier ist das Geld! Es _____ die ganze Zeit in meiner Jackentasche!

1. Was war das Problem? _____

2. Wer sagt, er ist schuld daran? _____

3. Wo war das Geld? _____

4. Wer war eigentlich schuld daran? _____

6 Make a list in German of four things you have bought recently, and the places where you bought them.

Was?	Wo?
Käse	im Supermarkt

7 Use the list you made in Activity 6 to write 4 sentences telling what items you bought and where you bought them.

BEISPIEL   **Ich war im Supermarkt und habe Käse gekauft.**

1. _____

2. _____

3. _____

4. _____

KAPITEL 2 Zweite Stufe

■ Landeskunde

1 Imagine you are an exchange student in Germany. One of your teachers invites you for lunch at his or her house. Which of the following is most appropriate?

   a. Ask if you can bring something with you, for example bread or dessert.

   b. You bring flowers or chocolates.

   c. You don't bring anything.

2 When you are invited to someone's house in Germany, which of the following would be most appropriate?

   a. arrive at the appointed time

   b. arrive early to help out

   c. arrive "fashionably late" (10-15 minutes after the appointed time)

3 Write two sentences which argue in favor of keeping up such social traditions as bringing a gift for your host or hostess and strict adherence to promptness. Then write two sentences which argue in favor of relaxing these social traditions.

_____

_____

_____

_____

_____

_____

_____

_____

_____

_____

_____

_____

_____

_____

_____

_____

_____

_____

KAPITEL 2 Landeskunde

■ Dritte Stufe

1 Arnold and Bruno are talking about gifts they are giving their family members for Christmas. Complete their conversation by filling in the appropriate possessive adjectives from the box below. Remember to use the right endings!

> **mein** **ihr**
>   **sein** **dein**

BRUNO Also, was hast du _____ Vater zu Weihnachten gekauft?

ARNOLD Golfbälle. Die ganz teuren. Und was bekommt _____ Vater?

BRUNO _____ Vater spielt gern mit Computern. Ich werde ihm ein neues Computerbuch kaufen.

ARNOLD _____ Computer hat einen Farbmonitor, oder?

BRUNO Nein, er hat nur einen ganz alten Computer. Sag mal, was schenkst du

_____ Mutter?

ARNOLD Ich kaufe ihr eine Mozart CD für _____ klassische Musiksammlung.

BRUNO Tolle Idee! _____ Mutter mag auch klassische Musik. Ich glaube, Bach ist ihr Lieblingskomponist.

ARNOLD Dann kauf doch _____ Mutter auch eine CD!

BRUNO Gut! Das mache ich! Heinz hat gestern eine CD bei Hartmann gekauft—im Sonderangebot. Gehen wir dahin?

ARNOLD Na klar!

2 Look at the pictures below and, based on Arnold and Bruno's conversation, fill in the name of the person receiving each gift.

3 The Martian anthropologists are trying to understand holiday customs of humans from northern Europe. Again, their machines botched up the conversation they recorded, and some of the words got lost. You have determined for them that this is a Christmas dinner. Now complete the conversation by filling in the correct forms of the words **ein** and **kein**.

ARNOLD Und du, meine kleine Kusine, du kriegst auch _____ Geschenk von mir.

JUTTA Oooh, _____ Puppe! Toll! Ich nenne sie Mechthild!

VATI Mechthild war der Name meiner Großmutter! Mutter, möchtest du noch _____ Semmel?

MUTTI Nein, danke, ich möchte im Moment _____ Semmel mehr. Wer möchte noch

_____ Apfel? Arnold? Bärbel?

BÄRBEL   Ja, ich möchte noch _____ Apfel, bitte.

ARNOLD   Nein, danke, _____ Obst für mich.

MUTTI   Arnold, kannst du dem Bruno diesen Apfel reichen? Danke. Und wer möchte noch

_____ Stück Kuchen? Onkel Jörg? Tante Anne?

ANNE   Ja bitte, ich nehme noch _____ Stück.

JÖRG   Nein, danke, ich möchte _____ Kuchen mehr.

VATI   Kuchen, Obst, Semmel ... Also, sind alle zufrieden? Möchte jemand noch etwas?

JUTTA   Ja. Ich möchte noch _____ Geschenk, bitte!

4 Wer mag was? Write sentences or questions based on the cues.

BEISPIEL   Claudia und Tanja/schöne Klamotten
Claudia und Tanja mögen schöne Klamotten.

1. Hans / Krimis

   _____

2. Du / frische Pfirsiche?

   _____

3. Wir / interessante Bücher

   _____

4. Du und Tanja / tanzen?

   _____

5. Ich / ?

   _____

5 Write a sentence telling to whom you would like to give each of the following gifts.

BEISPIEL   **Ich gebe meinem Bruder die CD.**

1.   2.   3.   4.   5.

1. _____

2. _____

3. _____

4. _____

5. _____

KAPITEL 2 Dritte Stufe

6 What gifts have you given people in the last year or so? Think of five gifts and say who you gave them to.

BEISPIEL   **Ich habe meiner Freundin einen Ring geschenkt.**

_____

_____

_____

_____

_____

_____

_____

_____

_____

7 You have just received the following letter from your new pen pal, Annette. Write her back telling a little about yourself. Be sure you answer all of Annette's questions.

_____

_____

_____

_____

_____

_____

_____

_____

_____

_____

_____

_____

_____

> Hallo!
> Ich heiße Annette. Ich komme aus Düsseldorf und gehe aufs Nelly-Sachs-Gymnasium. Mein Lieblingsfach ist Biologie. Nachmittags, wenn ich mit meinen Hausaufgaben fertig bin, treffe ich mich mit meiner Clique, und wir gehen in den Park. Dort spielen wir meistens Volleyball oder sitzen einfach auf dem Rasen. Gehst Du auch gern in den Park?
> Manchmal holen wir uns ein Video. Die Jungen wollen meistens Actionfilme gucken, aber meine Freundin Susanne und ich, wir sehen lieber Komödien. Was für Filme siehst Du lieber, Actionfilme oder Komödien? Magst Du Robin Williams? Ich sehe seine Filme am liebsten. Und Du? Welchen Schauspieler magst Du am liebsten?
> Schreib bald! Ich möchte Dich gern kennenlernen!
> Viele Grüße
> Annette

Komm mit! Level 2

Name _____ Klasse _____ Datum _____

Wo warst du in den Ferien?

▓ Los geht's!

1 The students in the film club are describing their photos. Match each description with the appropriate picture.

1. _____

2. _____

3. _____

a. Dresden liegt an der Elbe. Von hier aus kann man mit der „Weißen Flotte" schöne Dampferfahrten machen.

b. Hier sind die Fachwerkhäuser auf dem Römerberg in Frankfurt. Ich habe den Dom besichtigt und bin auch in die Oper gegangen. Aber diese Fachwerkhäuser haben mir am besten gefallen.

c. Thomas und ich haben in dieser Pension in St. Ulrich gewohnt. Diese Pension ist nur für junge Leute. Wir haben viele nette Jungen und Mädchen kennengelernt, und wir sind zusammen in den Bergen wandern gegangen.

■ Erste Stufe

1 Fill in the crossword puzzle with the past participles of the following verbs.

1. gehen →
   trinken ↓
2. essen
3. haben →
   hören ↓
4. besuchen
5. machen
6. sehen
7. spielen →
   geben ↓
8. fahren
9. lesen
10. schenken
11. bleiben
12. sein
13. kaufen

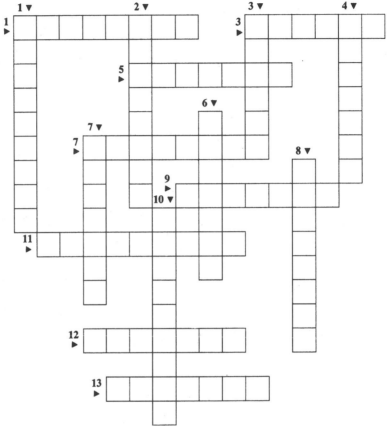

2 Basti is on his way to a film club meeting, but his backpack is full of stuff he doesn't need to take along for his meeting. Cross out all the things he should take out of his back pack before he goes. (By the way, Basti has a very large backpack.)

Bäckerei	Film	Krawatte	Nudelsuppe	Tomaten
Dias	Kamera	Mathe	Onkel	Videokamera
Farbbilder	Kette	Metzger	Tante	Wörterbuch

3 Lothar was about to show his slides at the film club, but he dropped them while he was trying to set them up; now they're all out of order. Read his description of his vacation and number the slides accordingly.

> Zuerst sind wir nach Berlin gefahren. Dort haben wir erst mal ein Hotel gesucht, dann sind wir in ein Restaurant gegangen, weil wir großen Hunger hatten. Dann sind wir ins Theater gegangen, wo wir „Cats" gesehen haben. Dann sind wir in ein Café gegangen und haben einen Cappuccino getrunken. Zuletzt sind wir zurück zum Hotel gegangen. Ich bin dann gleich ins Bett gegangen. Mensch, war ich müde! Am zweiten Tag haben wir zuerst die Reste der Berliner Mauer besichtigt, dann haben wir mit einem Bus eine Stadtrundfahrt gemacht. Dann haben wir zu Mittag gegessen. Wir sind dann in den Zoo gegangen. Ich habe dort viel fotografiert, aber ich weiß leider nicht mehr, was wir zuerst gesehen haben und was zuletzt.

4 Nina went on vacation to the United States with her friend Ilona. She's back in Germany and has just told her film club all about the United States. Now, after the meeting, Harald wants to know more about her trip.

Decide whether each participle goes with **haben** or **sein**, and then fill in the appropriate form of the correct helping verb.

HARALD   _____ ihr von den USA direkt nach Deutschland geflogen?

NINA   Nein. Wir _____ zuerst nach Frankreich geflogen und _____ ein paar Tage in Paris geblieben.

HARALD   Was _____ ihr dort gemacht?

NINA   Am ersten Tag _____ ich nur geschlafen, weil ich so müde war, aber Ilona

_____ im Jardin des Tuileries herumspaziert. Am Abend _____ wir

in einem tunesischen Restaurant gegessen. Das Essen _____ uns beiden sehr gut geschmeckt.

HARALD   _____ ihr den Eifelturm besichtigt?

NINA   Ja, am nächsten Tag. Wir _____ auch in den Louvre gegangen, in das große Museum, das einmal ein Schloß war. Das Museum ist riesig. Man kann an einem Tag

gar nicht alles sehen. Wir _____ es aber in einem Tag geschafft!

HARALD   Wie _____ ihr denn das gemacht?

NINA   Ilona _____ die eine Hälfte besucht, und ich _____ mir die andere

Hälfte angesehen. Danach _____ wir uns erzählt, was wir gesehen

_____!

HARALD   _____ du denn die Mona Lisa gesehen?

NINA   Nein, die Mona Lisa _____ in Ilonas Hälfte gewesen. Ich _____ aber viele andere schöne Gemälde gesehen.

HARALD   Wie lange _____ ihr in Paris gewesen?

NINA   Nur die zwei Tage. Am nächsten Tag _____ wir zurück nach Deutschland gefahren.

KAPITEL 3 Erste Stufe

5 Fill in the chart below based on Ilona and Nina's experiences in Paris.

	Ilona	Nina	beide
geschlafen			
in den Tuilerien herumspaziert			
in einem tunesischen Restaurant gegessen			
den Eifelturm besichtigt			
die Mona Lisa gesehen			
viele andere Gemälde gesehen			

6 Where have you been on vacation? What did you do there? Name three places and three activities for each vacation spot. If you prefer, think of a really nice vacation you'd like to take, and pretend you've already taken it!

BEISPIEL   **Wien   in die Oper gegangen
                    einkaufen gegangen
                    den Dom besichtigt**

Wo?   **Was gemacht?**

_____   _____

                                 _____

                                 _____

_____   _____

                                 _____

                                 _____

_____   _____

                                 _____

7 Now pick one of the vacation spots you named and write a paragraph telling what you did and how you liked it.

_____

_____

_____

_____

_____

_____

_____

_____

KAPITEL 3 Erste Stufe

■ Zweite Stufe

1 Read the **Sprachtip** on p. 66 of your textbook, then say whether the appropriate sightseeing verb for the following places, people and things in Frankfurt is **besichtigen, besuchen,** or **sehen**.

den Dom _____   die Oper _____

die Fachwerkhäuser _____   den Römer _____

die Gedächtniskirche _____   die Stadt _____

das Goethehaus _____   meine Tante _____

den Main _____   das Theater _____

Gemälde _____   die Zeil _____

das Museum _____

2 Michael is conducting a survey for his sociology class about what people do on the weekend. Complete his conversation by filling in the correct prepositions.

MICHAEL   Entschuldigung, darf ich dir ein paar Fragen stellen? Ich
arbeite an einem Forschungsprojekt für meinen Soziologiekurs.

```
in      an
    an der
im
    in der
```

PATRIZIA   Ja, kein Problem.

MICHAEL   Was hast du am Wochenende gemacht?

PATRIZIA   Also, wir haben, daß heißt die ganze Familie, wir haben eine Art Mini-Ferien
gemacht. Wir sind nach Hamburg und Wedel gefahren. Meine Tante wohnt

_____ Wedel, und sie hatte am Samstag Geburtstag.

MICHAEL   Hamburg ... Wedel ... gut. Okay. Wo habt ihr übernachtet? _____ Hamburg

oder _____ Wedel bei deiner Tante?

PATRIZIA   _____ Hamburg, _____ Hotel.

MICHAEL   Okay, wo wart ihr überall _____ Hamburg?

PATRIZIA   Wir waren _____ Museum und _____ Oper.

MICHAEL   Und in Wedel? Wo liegt Wedel eigentlich?

PATRIZIA   Wedel liegt _____ Elbe, nicht weit von Hamburg, fast _____ Nordsee. Wedel
hat ein fantastisches Freibad.

MICHAEL   Und was habt ihr _____ Wedel gemacht?

PATRIZIA   Wir haben den Geburtstag meiner Tante gefeiert, und wir sind _____ Freibad
geschwommen. Und das war eigentlich alles.

MICHAEL   Okay, vielen Dank für die Auskunft!

PATRIZIA   Gern geschehen!

Komm mit! Level 2   Practice and Activity Book   **29**

HRW material copyrighted under notice appearing earlier in this work.

3 Annika has bumped into Jürgen during the **Pause** and is asking him what he did over the weekend. Put the correct forms of **sein** and **haben** in the crossword puzzle, based on the cues in their discussion.

ANNIKA Jürgen, wo __1__ du am Samstag? Wir haben alle Basketball gespielt und sind dann ins Kino gegangen.

JÜRGEN Ich __2__ mit meiner Mutter unterwegs. Sie __3__ in Frankfurt eine Sitzung und hat uns, das heißt meinen Bruder Otto und mich, eingeladen mitzukommen.

ANNIKA Was habt ihr dort alles gemacht? Seid ihr in den Zoo gegangen?

JÜRGEN Nein, wir __4__ keine Zeit.

ANNIKA Nein? Wieviel Zeit __5__ ihr denn?

JÜRGEN Am Freitag nachmittag hatten wir nur ein paar Stunden, weil wir erst um 3 Uhr in Frankfurt angekommen sind. Otto und ich sind ins Goethehaus gegangen.

ANNIKA Wie lange __6__ ihr da im Museum?

JÜRGEN Ein paar Stunden. Es __7__ sehr interessant. Goethe ist im Moment mein Lieblingsschriftsteller.

4 **Wo warst du schon?** Respond to the following questions, using the phrases **noch nie, schon oft,** and **auch schon**.

BEISPIEL Ich bin in New York gewesen. Und du?
Ich bin noch nie in New York gewesen. *or*
Ich bin schon in New York gewesen.

1. Ich war letzte Woche in London. Bist du schon da gewesen?

   _____

2. Ich bin schon oft in San Francisco gewesen. Und du?

   _____

3. Ich war gestern in Dallas. Warst du schon mal in Dallas?

   _____

4. Ich fahre nächste Woche nach Chicago. Bist du schon mal nach Chicago gefahren?

   _____

5. Sag mal, wohin bist du schon oft gefahren?

   _____

5 Answer the following questions based on the cues provided and your own personal preference.

BEISPIEL Wo möchtest du lieber wohnen? Berge/Meer
Ich möchte lieber in den Bergen wohnen. *or* **Ich möchte lieber am Meer wohnen.**

1. Wo möchtest du lieber essen? die Küche/der Garten

   _____

KAPITEL 3 Zweite Stufe

2. Wo möchtest du lieber Ski laufen? die Vereinigten Staaten/die Schweiz

_____

3. Wo möchtest du lieber einen Nachmittag verbringen? das Museum/die Oper

_____

4. Wo möchtest du lieber deine Ferien verbringen? Berlin/die Nordsee

_____

6 Do you remember where you were and what you did at specific times this past week?

BEISPIEL   am Samstag nachmittag um 4 Uhr?
           <u>Ich war im Kino und habe *Casablanca* gesehen</u>.

   Wo warst du ...

1. am Dienstag abend um 7 Uhr?

_____

2. am Montag früh um 11 Uhr?

_____

3. am Donnerstag abend um 11 Uhr?

_____

4. am Freitag abend um 9 Uhr?

_____

5. am Samstag früh um 11 Uhr?

_____

7 Your friends missed you at several activities this past weekend. Tell them where you were and why you couldn't be with them.

BEISPIEL   Wo warst du am Samstag? Wir haben alle Basketball gespielt und sind dann
           ins Kino gegangen.
           <u>Ich war mit meiner Mutter in Frankfurt.</u>

1. Wo warst du am Dienstag? Wir sind nach der Schule ins Café gegangen.

_____

2. Wo warst du am Freitag abend? Wir sind in die Disko gegangen.

_____

3. Wo warst du am Sonntag? Wir sind im See geschwommen.

_____

4. Wo warst du am Samstag? Wir haben gekegelt.

_____

KAPITEL 3 Zweite Stufe

■ Landeskunde

Jugendherberge

Privathaus

Hotel

Pension

1 Which of these kinds of places to spend the night are common and which are not common in the United States? Why do you think that is?

_____

_____

_____

_____

2 Would you feel comfortable staying in someone's private house in Germany for your vacation? Why or why not?

_____

_____

_____

_____

3 Do you think if you had been raised in one of the German-speaking countries you would feel differently? Why or why not?

_____

_____

_____

_____

■ Dritte Stufe

1 **Wo hast du schon übernachtet? Wie hat es dir gefallen?** First, fill in the correct dative form of **ein** in the captions under the pictures. Then pick two of the kinds of places where you've spent the night, and say how you liked it.

BEISPIEL **Ich habe in einem Hotel übernachtet. Es war phantastisch!**

in _____ Privathaus   in _____ Pension

_____

_____

_____

_____

_____

_____

in _____ Jugendherberge   in _____ Hotel

_____

2 Frau Schmidt has just bumped into Herr Wenzel at the supermarket, and they are talking about his family's recent mini-vacation. Complete their conversation with the appropriate dative pronouns.

■ **ihm   uns   ihr**
■ **Ihnen   ihnen   mir**

F. SCHMIDT   Also, Herr Wenzel, Ihre Frau hat _____ gesagt, daß Sie letztes Wochenende einen kleinen Urlaub gemacht haben. Wie war's?

H. WENZEL   Ja, es war schön. Wir waren in Hamburg und Wedel, weil meine Schwester, die in Wedel wohnt, am Samstag Geburtstag hatte.

F. SCHMIDT   Ich bin noch nie in Hamburg gewesen. Wie ist es dort so?

H. WENZEL   Hamburg gefällt _____ sehr. Es ist meine Heimatstadt, wissen Sie. Es gibt dort viel zu tun. Wir waren, zum Beispiel, am Samstag in einem Museum. Das

hat _____ gut gefallen. Außer dem Erik. Er ist erst acht. _____ hat das Museum überhaupt nicht gefallen. Am Sonntag sind die Kinder aber in

Wedel ins Freibad gegangen, und das hat _____ allen sehr gut gefallen.

F. SCHMIDT   Ihre Frau sagte, Sie sind ins Theater gegangen. Was haben Sie gesehen?

H. WENZEL   „Das Phantom der Oper". Wir sind zu fünft gegangen: meine Frau und ich, meine Schwester und ihr Mann, und Patrizia, unsere Älteste. Sie ist schon 17. Das

Stück hat _____ echt gut gefallen. Meine Schwester und ich aber meinten,

daß es besser im Original wäre, also, auf Englisch. Es hat _____ also leider nicht wahnsinnig gut gefallen. Es war aber ziemlich interessant.

KAPITEL 3 Dritte Stufe

F. SCHMIDT   Was haben Sie Ihrer Schwester zum Geburtstag geschenkt?

H. WENZEL   Das waren die Karten fürs Theater.

F. SCHMIDT   Es freut mich, daß _____ Ihr Urlaub gut gefallen hat. Ich muß jetzt meine Kinder von der Schule abholen. Auf Wiedersehen!

H. WENZEL   Auf Wiedersehen!

3 Erik wrote a paragraph for school: **"Was ich am Wochenende gemacht habe"**, but he made lots of mistakes. The teacher has marked all his mistakes for him to correct for homework. Rewrite Erik's paragraph with the necessary corrections.

Am Wochenende (haben) wir nach Hamburg gefahren, weil (meiner) Tante Geburtstag hatte. Wir waren im Museum, aber das hat (mich) nicht gefallen, weil es langweilig war. Am Abend (haben) meine Eltern und (meinen) Schwester in die Oper gegangen. Ich bin zu Hause mit meinen Kusinen in Wedel (geblieben.) Wedel liegt (am) Elbe. Wir sind am Sonntag im Freibad geschwommen. Das hat viel Spaß gemacht. Ich habe (meinem Tanten) ein Buch zum Geburtstag geschenkt. Es hat (euch) sehr gut gefallen.

_____

_____

_____

_____

_____

_____

_____

4 Put the appropriate dative objects from the box into the blanks in the sentences below.

> **Kindern   Eltern   Großeltern**
> **Baumanns   Schülern**

BEISPIEL   **Wir haben _den Großeltern_ zu Weihnachten einen neuen Fernseher geschenkt.**

1. Ich möchte _____ zum Hochzeitstag eine Vase schenken.

2. Der Film hat _____ nicht gut gefallen, weil er für Kinder war.

3. Dieses Hotel hat _____ gut gefallen, weil es einen Spielplatz hat.

4. Ich schenke _____ immer Bücher zur Weihnachten.

5 Build dialogues in which you respond appropriately (with enthusiasm or with sympathy) to what your friend says.

BEISPIEL   FREUND   Ich habe in einem Lokal gegessen.
                  DU   **Wie hat es dir gefallen?**
             FREUND   Leider nicht gut.
                  DU   **Ach, schade!**

FREUND   Wir haben in einem Restaurant gegessen.

DU   _____

FREUND   Es war phantastisch!

DU   _____

FREUND   Wir haben den Leberkäs in einer Imbißstube probiert.

DU   _____

FREUND   Er hat uns gar nicht geschmeckt!

DU   _____

6 Write down five places you've visited and say how you liked them.

echt super   wahnsinnig gut   nicht besonders
phantastisch   furchtbar   soso

Wohin?	Wie war es?
_____	_____
_____	_____
_____	_____
_____	_____
_____	_____

7 Imagine you are going to travel in Germany. Where would you like to go? Where will you spend the night? Name four places you'd like to visit and say where you would like to spend the night.

BEISPIEL   **Ich möchte nach Frankfurt fahren und in einer Jugendherberge übernachten.**

München   aufs Land   Köln   Hamburg
Wedel   in die Berge   Bietigheim   ????

_____

_____

_____

_____

KAPITEL 3 Dritte Stufe

▋ Zum Lesen

1 Have you ever gone to a camp? What sort of camp was it? Did it have a special focus or theme? What activities did you do there? (If you haven't been to camp, think of activities you would like to do at a camp.) Make a list of camp activities in German.

_____   _____   _____

_____   _____   _____

2 Read the following selection and answer the questions that follow.

Multi-Sportcamp Piesendorf   14-20 Jahre

Ein Super-Sportcamp, bei dem bestimmt keine Langeweile aufkommt. Man kann alle Sportarten ausprobieren oder nur einzelne intensiv betreiben. Der Ablauf des Sportprogramms wird jeden Tag mit den Teilnehmern abgestimmt. Qualifizierte Betreuer sorgen für Action rund um die Uhr.

Snowboarden
Vormittags Training auf dem Kitzsteinhorn für Anfänger und Fortgeschrittene durch erfahrene Trainer.

Tennis
Unterricht für Anfänger und Fortgeschrittene auf 2 Freiplätzen und freies Spiel.

Mountainbike
Ein Guide unternimmt mit Euch schöne Touren in der

Europa-Sport-Region Kaprun und zeigt Euch die richtige Technik und tolle Tricks.

Fitneß
Auf dem Programm stehen Jazz-Gymnastik, Stretching, Volleyball, Fußball, Tischtennis und Schwimmen.

Beste Rahmenbedingungen bietet das Jugendgästehaus Bründl in Piesendorf. Unterbringung in Mehrbettzimmern mit Vollpension. Großzügige Aufenthalts- und Spielräume, Tischtennisraum, 2 Tennisplätze, 1 Turnhalle, großer Sportplatz.

Preisbeispiel: 6 Tage inkl. Vollpension, Multisport, Skipaß, Leihmaterial und Betreuung pro Person, DM 790,–

Adaptation from "Multi-Sportcamp Piesendorf, 14-20 Jahre," from *Sport-Scheck Reisen*, Summer 1993, p. 222. Reprinted by permission of ***Sport-Scheck Reisen GmbH***.

3 Which is the closest equivalent to the following excerpts from the text?

1. **... bei dem bestimmt keine Langeweile aufkommt.**
   a. ...perfect for teenagers who find everything boring
   b. ...where nobody will be bored
   c. ...where you can come, in case you find your life boring

2. **Man kann alle Sportarten ausprobieren oder nur einzelne intensiv betreiben.**
   a. You can try out all the types of sports, or you can practice individual ones intensively.
   b. You will be intensively tested in all the different types of sports.
   c. You can try out all the different types of sports, or you can be left alone.

3. What is the cost for six days? _____

   Do you think this is reasonable? Why or why not? _____

   _____

4 Imagine you are going to spend 6 days at the **Multi-Sportcamp Piesendorf**. Plan your program for the first three days. Write in the activities you would like to do each day.

	TAG 1	TAG 2	TAG 3
am Morgen			
am Nachmittag			
am Abend			

4 Gesund Leben

■ Los geht's!

1 Wer hält sich fit?

a.

Ich esse alles gern. Fleisch, Fisch, Käse, Knödel, Spätzle. Ich möchte gern ein bißchen mehr Sport treiben, aber ich habe kaum Zeit, weil ich sehr gern lese, lerne und mit dem Computer arbeite. Weil ich so viel lese, gehe ich oft ziemlich spät ins Bett. Wenn ich morgens müde bin, ist es kein Problem—nach einem starken Kaffee und einem süßen Brötchen bin ich für den ganzen Tag fit.

b.

Weil ich jeden Tag vor der Schule fünfundvierzig Minuten jogge, gehe ich ziemlich früh ins Bett. Nach der Schule esse ich meistens Obst, oder ein Vollkornbrötchen oder so was. Ich spiele zweimal in der Woche Tennis mit meinem Freund Bernd. Bernd ist eigentlich Vegetarier, aber ich mag Fleisch und Hähnchen ziemlich gern. Ich esse das nur zwei- oder dreimal in der Woche und dann nur mageres Fleisch, natürlich.

■ Erste Stufe

1 Sort the words from the box into the following categories.

> viel Obst essen   wenig Alkohol trinken   nicht rauchen   keine Cola trinken
> wenig Kaffee trinken   Tennis spielen   die Sonne vermeiden   joggen
> radfahren   schlafen   viel Gemüse essen
> schwimmen   vernünftig essen   nur mageres Fleisch essen

sich ernähren	Gymnastik machen	gesund leben
_____	_____	_____
_____	_____	_____
_____	_____	_____
_____	_____	_____
_____	_____	_____

2 Max and Moritz are 5-year old twins. It is time for them to go to bed. Fill in the crossword puzzle with the appropriate forms of the verb **schlafen**, based on the cues given in the dialogue. Note: In this puzzle, **ä**, **ö**, and **ü** are written **ae**, **oe**, and **ue**.

MAMA   Kinder, ihr müßt jetzt ins Bett!

MAX   Aber Mama, wir wollen nicht __1__ .
Wir sind gar nicht müde.

MAMA   Kinder, ihr wißt, daß ihr in diesem
Haus mindestens acht Stunden __2__ .

MORITZ   Aber Mama, wenn man so früh ins
Bett geht und so viel __3__ , dann ist
man am nächsten Tag müde!

MAMA   Kinder, keine Diskussion mehr
darüber! Geht jetzt ins Bett!

MAX   Okay, Mama, wir gehen ins Bett,
aber wir __4__ nicht. Morgen müssen
wir den ganzen Tag spielen, und wir
wollen nicht zu müde sein.

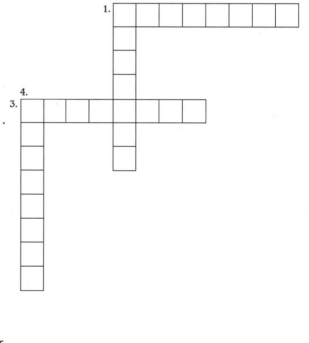

3 Now Max and Moritz are discussing the finer points of good nutrition with their father. Fill in the missing accusative pronouns.

PAPA   Max, iß deine Karotten!

MAX   Aber Papa, ich mag kein Gemüse; ich esse sie nicht.

PAPA   Kannst du nicht wenigsten für _____ ein paar Karotten essen?

MORITZ   Papa, du weißt, daß Max _____ nicht wohl fühlt, wenn er Karotten ißt.

PAPA   Und ich sehe, daß du auch keine Karotten ißt, Moritz. Kinder, ihr müßt _____

gesund ernähren. Ich halte _____ fit, indem ich Karotten esse. Seht ihr?

Mmmm. Lecker!

MAX   Papa, ich glaube, wir sind gegen Karotten allergisch! Aber wir fühlen _____

ganz wohl, wenn wir Schokolade essen! Und wenn wir viel Schokolade essen, dann

halten wir _____ sehr fit, weil uns Schokolade schmeckt!

PAPA   Aber Max, wenn dir etwas schmeckt, heißt es nicht, daß es für _____ gesund

ist! Los Max, iß deine Karotten!

MAX   Aber Papa, ich mag kein Gemüse!

4 The Martian anthropologists were listening in on parts of conversations in the German-speaking countries again, but the ends of each sentence got scrambled. Unscramble the sentences for them.

BEISPIEL   Ich finde es toll, daß <u>viel so tust du die Gesundheit für</u>.
      Ich finde es toll, daß du so viel für die Gesundheit tust.

1. Ich freue mich, daß <u>du Noten gute hast bekommen</u>.

_____

2. Ich finde es nicht gut, daß <u>ernährst nicht gesund du so dich</u>.

_____

3. Es ist schade, daß <u>die Gesundheit für nichts so Leute viele tun</u>.

_____

4. Es ist prima, daß <u>hier dich du fühlst wohl so</u>.

_____

5 Imagine family members or close friends of yours make the following statements. How do you react to them?

Ich finde es toll, daß ...
Es ist prima, daß ...
Ich finde es nicht gut, daß ...
Ich freue mich, daß ...
Es ist schade, daß ...
Ich bin froh, daß ...

1. Ich esse nur in Fast-food Restaurants.

_____

_____

2. Ich jogge jeden Morgen.

_____

3. Ich esse viel Obst und Gemüse.

_____

4. Ich rauche sehr viel.

_____

5. Ich trinke viel Kaffee.

_____

6 Say how you feel in the following places/situations.

ganz wohl   super-toll   nicht wohl   großartig
sehr wohl   nicht sehr wohl   überhaupt nicht wohl

BEISPIEL   **in dieser Stadt: Ich fühle mich in dieser Stadt nicht sehr wohl.**

1. an der Schule: _____

2. in der Klasse: _____

3. in der Clique: _____

4. in dieser Stadt: _____

5. in der ...mannschaft: _____

7 **Was tust du, um dich fit zu halten?** Write a paragraph telling what you do to stay fit.

_____

_____

_____

_____

_____

_____

_____

■ Landeskunde

1 Do you think it is important to eat organic produce? Where can you go to buy organic produce in your area? How health conscious do you think your community is as a whole?

_____

_____

_____

_____

2 Do you think that Germans are less, more, or just as health conscious as people in your community? Where do Germans go to buy organic produce?

_____

_____

_____

_____

3 Do you think that if you had been raised in Germany, your eating habits would be any different? What evidence do you have to support your hypothesis?

_____

_____

_____

_____

_____

_____

_____

_____

_____

_____

_____

Name _____ Klasse _____ Datum _____

■ Zweite Stufe

1 It is Nutrition Consciousness Week in Bietigheim and school children are being interviewed for a newspaper feature on children and nutrition. Write the correct form of **jeder** in the spaces provided. (Hint: The plural of **jeder** is **alle**.)

JOHANNES: Ich bin 13 Jahre alt. Ich esse alles, was meine Eltern kochen. Das heißt, daß ich

_____ Tag Salat esse, gedämpftes Gemüse, Tofu, und so weiter, weil meine

Eltern Vegetarier sind. Aber ich gehe _____ Woche einmal mit Freunden in ein

Fast-food Restaurant, wo ich normalerweise einen großen Hamburger esse, aber manch-

mal esse ich nur ein Hähnchensandwich. Aber sag das meinen Eltern bitte nicht!

EVA: Ich bin 16 Jahre alt. Ich esse _____ Tag viel Gemüse und Reis und Nudeln, weil

ich Vegetarierin bin. Ich mag es nicht, dienstags mit meinen Eltern zu essen, weil sie

_____ Dienstag Steaks grillen. Ich weiß nicht, warum gerade nur dienstags,

aber es ist halt so.

STEFFEN: Ich bin sieben Jahre alt. Für _____ Stück Obst, das ich esse, bekomme ich

fünf Pfennig. Ich bekomme 10 Pfennig, wenn ich _____ Gemüsesorten esse, die

meine Mutter kocht. Sie geben mir Geld dafür, weil ich eigentlich alles hasse, was grün ist.

Letzte Woche habe ich genügend Geld verdient, daß ich Schokolade aus Belgien kaufen

konnte.

1. Which student has the healthiest nutrition habits? _____

2. Do you think Steffen's parents' method of trying to get him to eat fruit and vegetables is

working? Why or why not? _____

2 Circle all of the following activities that would make good New Year's resolutions. Then put an X next to the ones you personally think you should make next January 1.

mehr Sport treiben   mehr Gemüse essen   mehr Eis essen

weniger Fast-food essen   mehr Obst essen   mehr Salat essen

mehr schlafen   mehr Süßigkeiten essen   mehr Fleisch essen

mehr Fernsehen schauen

weniger Fett essen   weniger schlafen

Komm mit! Level 2

3 Write the name of each activity under the picture, then write how often you do each activity.

jeden Tag	jeden Monat
selten	jedes Jahr
jede Woche	nie

_____ _____ _____ _____ _____

_____ _____ _____ _____ _____

4 Read the **Sprachtip** on p. 94 of your text, then respond to the following statements truthfully, according to your lifestyle.

BEISPIEL   Du ißt kein Gemüse!
Doch, ich esse jeden Tag Gemüse! *or*   **Stimmt, ich esse kein Gemüse.**

1. Du machst fast nie Gymnastik!

   _____

2. Du ißt kein Fett, nicht wahr?

   _____

3. Du gehst nie in Fast-food Restaurants, oder?

   _____

4. Du trinkst keine Cola, oder?

   _____

5 Pretending that they are accurate, respond to the following accusations, justifying your behavior. If you don't really have a way to justify yourself, make one up!

Das kann sein, aber ...
Eigentlich schon, aber ...
Das stimmt, aber ...

BEISPIEL   Du joggst fast nie!
Das stimmt, aber ich mache jeden Tag Yoga!
Du ißt nur selten Salat!
Eigentlich schon, aber ich esse sehr oft andere Gemüsesorten!

1. Du trinkst zu viele Getränke mit Koffein! _____

2. Du ißt zu oft Eis! _____

3. Du ißt ziemlich viel Fleisch! _____

4. Du machst kein Aerobic. _____

5. Du lebst ungesund! _____

6 Look at the list of possible New Year's resolutions in Activity 12 and think about your lifestyle. Which of these should be your New Year's resolutions? List your resolutions and say how often you will do them.

BEISPIEL   **Ich werde nur selten Fernsehen schauen.**
Ich werde jeden Tag Gemüse essen.

_____

_____

_____

_____

_____

_____

_____

_____

7 The Martian anthropologists have another job for you. This time their equipment picked up only the answers. They would like you to reconstruct possible questions which would have elicited these responses. To make the job easier for yourself, you have already compiled a list of possibilities, but they may have to be adapted for each response.

> Ich habe eine Frage: ...   Wie steht's mit ...?
> Sag mal, ... Sie eigentlich ...?   Darf ich etwas fragen?

1. _____

   Nein, ich esse viel Fleisch, bin kein Vegetarier.

2. _____

   Stimmt, ich mache jeden Tag Sport.

3. _____

   Na, klar! Du kannst mich etwas fragen!

4. _____

   Nein, ich rauche natürlich nicht!

5. _____

   Ich gehe normalerweise nach der Schule schwimmen.

■ Dritte Stufe

1 a. There are 12 words for food items hidden in the puzzle. Can you find them all?
Note: In this puzzle ä, ö, and ü are written **ae**, **oe**, and **ue**.

```
Y  K  M  G  O  L  H  I  A  J  X  Q  P  A  D  B  W  D  V  N
B  H  U  H  N  X  Y  T  D  Q  C  B  E  O  R  E  I  S  U  B
U  W  V  Y  I  E  R  P  F  G  D  S  L  N  A  M  Z  C  P  T
F  K  L  R  R  B  O  E  S  M  O  S  W  E  K  C  K  A  Y  M
P  I  L  Z  A  Y  R  U  P  K  E  R  A  C  B  D  M  W  Q  J
O  Q  L  O  V  H  A  A  I  O  Y  L  X  O  R  A  N  R  E  U
U  C  R  X  E  E  G  R  F  A  G  M  T  H  O  L  K  E  B  M
O  V  W  O  M  K  P  E  O  F  D  D  O  P  K  A  E  R  I  A
B  O  M  O  C  A  Z  Y  N  C  M  I  L  A  K  E  S  I  T  P
F  A  T  I  Y  K  Y  H  L  A  R  H  V  R  O  N  U  N  N  M
F  O  R  E  L  L  E  A  U  E  O  I  E  A  L  K  U  D  P  I
S  S  K  V  L  E  E  L  E  K  A  Y  E  A  I  Y  O  F  R  Q
A  N  B  L  C  H  J  I  N  A  J  T  R  E  A  F  A  L  Y  C
E  B  M  R  C  K  I  E  O  E  M  E  D  I  X  E  X  E  L  A
P  E  M  S  E  I  M  E  X  J  U  G  B  C  F  F  J  I  U  Z
W  S  R  M  B  U  G  Y  A  W  E  O  E  R  O  W  I  S  I  R
O  I  L  E  L  O  F  S  N  J  G  L  E  N  K  L  B  C  E  O
K  E  X  B  L  A  B  R  U  R  J  A  R  M  O  R  O  H  W  Y
U  U  P  I  Q  O  Y  G  L  E  A  G  E  U  Q  I  K  O  T  A
E  B  L  A  U  B  E  E  R  E  B  K  E  F  G  C  S  H  K  I
```

b. Arrange the words you found according to their grammatical gender
(whether they are **der, die** or **das**-words). Include the plural, using the kind of
notation you find in the dictionary.

DER	DIE	DAS
_____	_____	_____
_____	_____	_____
_____	_____	_____
_____	_____	_____
_____	_____	_____
_____	_____	_____

c. Which four words do not have plural forms?

_____

2 Was ist logisch? Complete the statements by matching each beginning with the most logical ending.

_____ 1. Ich esse keinen Blumenkohl,

_____ 2. Ich esse gern Erdbeeren,

_____ 3. Ich esse keine Forelle,

_____ 4. Ich esse gern Pudding,

_____ 5. Ich esse nicht viel Rindfleisch,

a. weil ich nichts esse, was aus dem Wasser kommt.

b. weil es ungesund ist.

c. obwohl er oft viel Milchfett enthält.

d. weil er mir nicht schmeckt.

e. weil sie süß und saftig sind.

3 Steffi, Hannes, and Daniel are discussing their eating habits at a birthday party. Complete their conversation by filling in the missing forms of the verb **dürfen**.

STEFFI   Möchtest du ein Stück Torte? Sie ist sehr lecker, eine Schwarzwälder Kirschtorte.

HANNES   Wohl mit Schokolade, oder? Nein, ich möchte gern ein Stück, aber ich

_____ nicht.

DANIEL   Zu viele Kalorien?

HANNES   Nein, es hat nichts mit Kalorien zu tun. Ich bin allergisch gegen Schokolade.

STEFFI   Schade! Hast du andere Allergien? Oder _____ du alles essen außer

Schokolade?

HANNES   Nein, ich habe keine anderen Allergien. Meine Schwester aber _____

keine Erdnüsse essen. Sie ist dagegen sehr allergisch. Wenn sie auch nur eine

einzige Erdnuß ißt, könnte sie sterben!

DANIEL   Das kann nicht sein!

HANNES   Doch, es stimmt. Wir _____ zu Hause keine Erdnußbutter, kein

Erdnußöl, überhaupt keine Erdnüsse haben! Sagt mal, Steffi und Daniel, habt ihr

Allergien? Oder _____ ihr alles essen?

STEFFI   Nur gegen Haustiere bin ich allergisch. Ich darf keine Katze oder keinen Hund

haben, aber ich _____ alles essen.

DANIEL   Ich _____ nicht zu viel Salz essen, weil es ungesund ist und zu hohem

Blutdruck führt, aber ich habe keine Allergien; ich _____ auch alles

essen.

HANNES   Ihr habt ja Glück! Ich liebe Schokolade, _____ sie aber nicht essen.

4 Name four things you seldom or never eat and give a reason why you don't eat each one.

BEISPIEL   **Ich esse nur selten Schokolade, weil sie zu viel Zucker hat.**

_____

_____

_____

_____

5 You've noticed that certain people aren't eating certain things. Ask if they are not allowed to eat them, using **dürfen** and **kein**.

1. du / Kaffee: _____

2. ihr / Kuchen: _____

3. Herr Schmidt / Schokolade: _____

4. wir / Sahnetorte: _____

5. die Annika / Butter: _____

6 For each of the people in Activity 5, make up a response to the question **"Warum nicht?"** which explains why they can't eat what they're not eating.

BEISPIEL   **Ich darf keinen Kaffee trinken, weil Kaffee nicht gesund ist.**

_____

_____

_____

_____

_____

7 Recreate accusations based on the following responses.

BEISPIEL   **Du ißt nicht genug Gemüse!**
          Doch, ich esse jeden Tag Gemüse!

1. _____
   Stimmt, aber ohne Cola kann ich mich nicht konzentrieren!

2. _____
   Doch, ich jogge dreimal pro Woche!

3. _____
   Stimmt, ich liebe dich nicht.

4. _____
   Stimmt, aber ich mache meine Pizza mit Magermilchkäse.

■ Zum Lesen

1 Do you fall asleep easily at night or do you end up tossing and turning? What suggestions can you give a person who has trouble falling asleep?

_____

_____

_____

2 Read the text and answer the questions that follow.

Wie man gut schläft — einige Tips

- **Wer nicht sofort einschlafen kann: Lesen Sie etwas, was beruhigend ist — ein Gedicht vielleicht — oder trödeln Sie nur eine halbe Stunde, bevor Sie zu Bett gehen!**
- **Wer die Probleme des Tages nicht vergessen kann: Lernen Sie Entspannungstechniken oder Atemtechniken (autogenes Training, Yoga), und wenden Sie diese regelmäßig an!**
- **Wer sich zu sehr auf das Einschlafen konzentriert, verscheucht den Schlaf! Nehmen Sie sich vor, wach zu bleiben! Das hilft manchmal.**

Achten Sie darauf, daß ...
- **die Schlafzimmertemperatur nicht zu niedrig ist — 19 Grad ist ideal!**
- **das Bett 20 Zentimeter länger ist als Sie selbst!**
- **die Matratze flach und ziemlich hart ist!**
- **der Kopf richtig gelagert ist! Das Kopfkissen muß weich genug sein, um den Kopf zu stützen!**
- **die Bettwäsche aus Naturmaterialien hergestellt ist! Diese sind hautfreundlich, weil sie die Flüssigkeit aufnehmen, die der Mensch jede Nacht abgibt.**

---

3 Look carefully at the context of the following words in the text above and then circle the most likely English equivalents.

Trödeln: hanging around / exercising

Entspannungstechniken: self-analysis techniques / relaxation techniques

verscheuchen: to chase away / to encourage

gelagert sein: be relaxed / be positioned

aufnehmen: absorb / be ruined by

4 Number the tips above according to how helpful or important each one is, where #1 would be the first thing you would advise a person who's having trouble sleeping, and #7 is the last one you would advise.

Name _____ Klasse _____ Datum _____

Gesund essen

■ Los geht's!

1 What do you think these people are saying?

SCHÜLER _____

_____

VERKÄUFERIN _____

_____

SCHÜLER _____

_____

VERKÄUFERIN _____

_____

■ Landeskunde

1 On a separate piece of paper write a 1 to 2 page essay comparing and contrasting German and American meal time customs, for example, the fact that Germans usually eat their main hot meal in the middle of the day, and that they eat a cold breakfast and a cold dinner. For extra credit, try to explain the differences in these customs by pointing out social, historical, cultural, and economic reasons for these customs.

Think of the points you would like to make in your essay, and the order in which you would like to make them. Use this space to write an outline to help you organize your thoughts.

■ Erste Stufe

1 Was gehört zusammen?

_____ 1. Was für ein Pech!   **a.** Ich nehme halt eine Banane.

_____ 2. Ich bedaure,   **b.** die Milch ist alle.

_____ 3. Es tut mir leid,   **c.** Keine Eibrötchen mehr!

_____ 4. Das macht nichts!   **d.** Ich trinke halt einen Apfelsaft.

_____ 5. Nicht so schlimm!   **e.** wir haben heute keinen Orangensaft.

_____ 6. Schon gut!   **f.** Ich nehme das Quarkbrötchen.

2 Complete the following conversation with the correct forms of the word **dieser**.

PETER   Mehmet, was soll das auf _____ Brötchen sein?

MEHMET   Das ist Tofu, und den kaufe ich. Ich esse _____ Woche jeden Tag Tofu,

weil er so gesund ist. Das habe ich in _____ Buch über Ernährung

gelesen.

Er zeigt Peter das Buch.

PETER   Hmm, sieht interessant aus. Sag, hast du _____ Buch auch schon

gelesen?

Er zeigt Mehmet ein anderes Buch.

Es ist über Sport und Gesundheit. Es ist auch sehr interessant.

MEHMET   Das würde ich mal gern lesen. Sag mal, Peter, sollen wir die Bücher tauschen?

Dann können wir beide Bücher lesen.

PETER   Gute Idee!

Sie tauschen die Bücher.

3 Circle all of the following sentences which express skepticism.

Du ißt wohl kein Fleisch, oder?   Was für ein Pausenbrot soll das sein?

Was soll das heißen?   Die Bananen kosten nur 20 Pfennig, nicht wahr?

Ißt deine Mutter nicht vegetarisch?   Du kaufst jeden Tag das gleiche, was?

Was soll das auf deinem Brötchen sein?

4 Respond to each request, apologizing and saying that there is no more of the requested item.

1. Ein Eibrötchen, bitte!

   _____

2. Ich möchte einen Apfel, bitte!

   _____

3. Eine Vanillemilch, bitte!

   _____

4. Haben Sie noch Quarkbrötchen?

   _____

5 You've asked for various foods, but have been informed that each item is sold out. Respond to the news by downplaying your disappointment and asking for the items pictured.

1. _____

2. _____

3. _____

4. _____

6 Unscramble the words to make two sentences, a question and a reply. Use clues like the endings of verbs and demontratives to figure out which words belong together in the sentences.

1. auf / Brot / das / das / diesem / ist / ist / mit / Sojasprossen / Tofu / was /

_____

_____

2. 70 / dieses / es / kostet / kostet / Pfennig / nur / Quarkbrötchen / was /

_____

_____

3. diese / Eibrötchen / frisch / gemacht / habe / heute / ich / ja / sie / sind /

_____

_____

4. auf / aus / Brötchen / aber /die / diesen / Eier / Eier / ich / keine / lecker / mag / ja / nicht / sehen / sehr /

_____

_____

7 Build questions based on the following answers.

BEISPIEL **Du ißt sehr oft Wurst, oder?**
Nein, ich esse Wurst nur einmal im Monat.

1. _____
Nein, aber meine Eltern essen vegetarisch.

2. _____
Nein, die Bananen kosten ab heute 25 Pfennig.

3. _____
Nein, Tofu esse ich überhaupt nicht gern.

4. _____
Doch! Siehst du nicht das Ei auf dem Brötchen?

■ Zum Lesen

1 What do you think are the three most important ways to keep your diet healthy?

_____

_____

2 Read the title, first paragraph, and the headings to each of the numbered paragraphs below. What do you think this article is about?

_____

3 Read the text and answer the questions that follow.

So verlängern Sie Ihr Leben.

Ernährungswissenschaftler sprechen sogar von zehn Jahren, die Sie sich zusätzlich schenken können. Nur durch richtige Ernährung. In der folgenden Auflistung finden Sie, was Sie ganz viel essen sollten und was ganz wenig (1 = ganz viel, 7 = möglichst gar nicht).

1 Vollkorn kriegen Sie nie genug
Außerdem Knäckebrot, Cornflakes, gern auch Nudeln, Kartoffeln, Kiwis satt, Multivitamindrinks.

2 Eisbergsalat macht Sie absolut fit
Dann Wurzeln, Äpfel, Bananen, viel Kohlrabi, Pampelmusen, Gurken, Mango und Papaya.

3 Milch macht müde Mädchen munter
Aber möglichst fettarm. Joghurts zwischendurch. Buttermilch, Quark, Magerkäse immer mal wieder.

4 Weißes Fleisch - mindestens 1 x täglich
Geflügel natürlich zuallererst. Fisch aus tiefen Gewässern. Walnüsse senken den Cholesterinspiegel.

5 Alkohol schränken Sie ab sofort ein
Natürlich dürfen Sie 1-2 Glas Wein trinken. Aber legen Sie immer wieder mal eine Woche Pause ein.

6 Kuchen lassen Sie besser weg
Verkneifen Sie sich das Stück Sahnetorte zwischendurch. Das ist Gift für Ihre Figur.

7 Fette und Öle sowenig wie möglich
Darum auch möglichst auf Kantinenkost verzichten, und wenn, dann das Rohkost-Angebot nutzen.

"21. So verlängern Sie Ihr Leben." from *Für Sie*, no. 9, April 13, 1994. Reprinted by permission of ***Jahreszeiten Verlag***.

4 Analyze your own diet! On another piece of paper, write down the seven categories from the article above, and then write down everything you've eaten in the past two days, sorting it into each category. Compare your diet to the proposed diet in the article. Rank your diet according to how you **do** eat (as opposed to how you **should** eat), assigning each category a number, where 1 is the category you eat the most of and 7 is the category you eat the least of. Next to each of the 7 categories above, write the rank you gave it in your list. Do you need to make some changes in your diet?

Zweite Stufe

1 You are at a New York City style Deli in Frankfurt and would like to order a sandwich. Below is the sandwich order form. Circle the items you would like on your sandwich.

> **Brot:** Sauerteig, Weißbrot, Vollkorn, Roggen
>
> **Käse:** Camembert, Schweizer Käse, Quark
>
> **Aufschnitt:** Salami, Mortadella, Pastrami, Schinken
>
> **Sonstiges:** Tofu, Salat, Tomaten, Alfalfasprossen, Zwiebeln, Gurken, Erdnußbutter, Senf, Mayonnaise, Ketchup, Butter, Margarine, Marmelade

2 Reconstruct the following conversation by arranging the sentences in a logical order.

_____ Mir schmeckt am besten nur Brot und ein bißchen Marmelade.

_____ Guck mal, Clemens! Die Eibrötchen sehen ganz lecker aus!

_____ Aber ich habe dir doch schon gesagt, ich mag keine Eibrötchen!

_____ Was schmeckt dir denn besser?

_____ Brot und Marmelade ist aber nicht besonders gesund. Du sollst etwas mit ein bißchen Protein essen, wie zum Beispiel ein Eibrötchen! Diese Eibrötchen sehen ganz lecker aus.

_____ Die Eibrötchen? Ich mag keine Eibrötchen!

3 Benjamin and his mother are talking about Ben's **Pausenbrot**. Complete their conversation by filling in the correct prepositions from the box.

auf   an
in   am   im

BEN   Mama, wenn du mir ein Pausenbrot machst, dann leg bitte keinen Tofu _____ das

Brot. Tofu schmeckt mir nicht, und ich will ihn nicht essen.

MAMA   Aber Ben, du weißt doch, daß Tofu sehr gesund ist. Die Kinder _____ Kalifornien

essen alle sehr gern Tofu.

BEN   Aber Mama, wir sind doch nicht in Kalifornien. Wir sind in Schleswig-Holstein, einem

Bundesland, das _____ der Nordsee liegt. Hier hat man Wurst und Aufschnitt

_____ dem Brot.

MAMA   Max, wenn du nur Wurst und Aufschnitt ißt, dann kriegst du zu viel Cholesterin

_____ deine Arterien, und dann kriegst du einen Herzinfarkt!

BEN   Mama, ich bin erst 13 Jahre alt! Ich kriege doch keinen Herzinfarkt! Und ich esse

keinen Tofu!

4 Jolanda is talking to her parents about what things were like when they were growing up. Complete their conversation by filling in the correct possessive adjectives.

JOLANDA   Wie war es, als ihr Schüler wart? War die Schule so, wie sie jetzt ist?

MUTTI   Ja, alles war ungefähr das gleiche. Wir hatten ein paar Fächer, dann eine Pause, dann noch einige Fächer. Ich erinnere mich, _____ Noten in Deutsch, Französisch und Englisch waren immer sehr schlecht. Aber du, Hermann, _____ Noten in Sprachen waren sehr gut.

JOLANDA   Habt ihr während der Pause immer etwas zum Essen gekauft?

VATI   Nein, es war damals ein bißchen anders. _____ Mütter hatten Zeit, uns ein Pausenbrot vorzubereiten, weil sie nicht gearbeitet haben. Was hast du immer in die Schule mitgebracht, Ulrike?

MUTTI   Weißt du das nicht? _____ Onkel war damals in Amerika, und er hat uns mal 12 Gläser Erdnußbutter geschickt. Auf _____ Brot hatte ich dann immer Erdnußbutter und Marmelade.

VATI   Und dann nach der Pause waren _____ Finger immer klebrig. Ja, meistens habe ich auch mein Brot von zu Hause mitgebracht. Aber die Mütter waren immer alle da, und wir haben auch ab und zu Milch oder so was gekauft.

JOLANDA   Waren _____ Mütter auch da?

VATI   _____ Mutti war nie da.

MUTTI   Er spinnt, Jolanda, _____ Mutti war auch sehr oft da. Ich habe mit ihr über deinen Vati gesprochen.

5 Build sentences based on the cues.

1. auf / soll / deinem / das / Brötchen / sein / was?

_____

2. mir / am besten / auf / Brötchen / meinem / schmeckt / Käse

_____

3. ihr / Quark / keinen / eurem / Brötchen / auf / mögt?

_____

4. ich / Brötchen / keinen / auf / mag / Schinken / meinem

_____

6 Build questions based on the following answers.

1. _____
   Nein, das ist nicht Joghurt, sondern Tofu.

2. _____
   Das ist Erdnußbutter auf meinem Brot.

3. _____
   Eine Milch kostet jetzt 50 Pfennig.

4. _____
   Es tut mir leid, der Joghurt ist alle.

7 **Wie gut ist dein Gedächtnis?** Do you remember what you had for lunch last week? Write it down!

Montag: _____

_____

_____

Dienstag: _____

_____

_____

Mittwoch: _____

_____

_____

Donnerstag: _____

_____

_____

Freitag: _____

_____

_____

Samstag: _____

_____

_____

Sonntag: _____

_____

_____

KAPITEL 5 Zweite Stufe

■ Dritte Stufe

1 Herr Wagner is running a Cola taste test at the supermarket. Complete his conversation by filling in the missing dative pronouns.

HERR W.   Können Sie mir sagen, gnädige Frau, welche Cola _____ besser schmeckt, Cola X oder Cola Y?

FRAU   Ich glaube Cola X schmeckt _____ am besten.

HERR W.   Und ihr Kinder? Welche Cola schmeckt _____ besser?

JUNGE   Ich glaube, Cola Y schmeckt _____ besser.

HERR W.   Und _____ , kleines Fräulein?

MÄDCHEN   Ich mag weder X noch Y. Cola schmeckt _____ überhaupt nicht!

2 Build questions based on the answers, using the phrase **was für ein / eine / einen**.

1. _____
   Meine Großmutter hat einen alten BMW.

2. _____
   Ich lese einen Krimi.

3. _____
   Ich höre meine Lieblingskassette –„die Toten Hosen".

4. _____
   Ich habe einen alten Computer, der nicht sehr schnell läuft.

3 Use the cues to make sentences using contractions with **zu**.

1. zu / gehen / Schule / ich / morgen / nicht

   _____

2. ich / zu / essen / Frühstück / Wurst / immer

   _____

3. heute / es / geben / zu / Mittagessen / Spaghetti

   _____

4. am Sonntag / mein Vater / zu / kochen / Lammfleisch / Mittagessen

   _____

KAPITEL 5 Dritte Stufe

4 Build 4 questions with the following components.

welche welcher welches	Star Essen Film Obst Buch Gemüse ??	schmeckt gefällt	dir euch Ihnen ihnen ihm ihr	besser lieber am liebsten am besten	Äpfel ??? ???	oder	Bananen ??? ???

BEISPIEL   **Welcher Film gefällt dir besser? „Rambo" oder „Rocky"?**

1. _____

2. _____

3. _____

4. _____

5 **Was ißt du gern? Lieber? Am liebsten? Mach drei Listen!**

Ich esse gern ...	Ich esse lieber ...	Ich esse am liebsten ...
_____	_____	_____
_____	_____	_____
_____	_____	_____
_____	_____	_____
_____	_____	_____

Now pick two foods from the **Ich esse am liebsten ...** column and explain why you like to eat them the most.

BEISPIEL   **Ich esse Popcorn am liebsten, weil es knusprig ist und wenig Kalorien hat.**

_____

_____

_____

_____

_____

_____

_____

_____

_____

6 **Kaufmanns** advertising agency wrote up this draft for a radio ad, but made several factual mistakes. Look at the flyer on p. 122 of your text and correct the ad agency's mistakes.

Eilen Sie zu Kaufmanns, wo Sie nur beste Qualität

finden! In unserer Tiefkühlabteilung finden Sie

mageres Rindfleisch, nur 7.87 pro Kilo. Rindersteak

finden Sie zu 1.49 pro Pfund. In unserer

Fischabteilung bekommen Sie 100 g Heilbutt für

1.95. Ein Kilo Forellen bekommen Sie für 1.25.

Wenn Sie Obst für die Kinder kaufen wollen, können

Sie Trauben aus dem Schwarzwald, Bananen aus

Mexiko und Äpfel aus Frankreich günstig kaufen.

Alle Angebote sind gültig ab Montag, den 5.

September. Wenn es eine Frage der Qualität ist,

dann ist Kaufmanns die Antwort! Auf zu

Kaufmanns!

7 Write your own script for a 30-second radio ad for **Kaufmanns** based on the flyer on p. 122 in your textbook.

_____

_____

_____

_____

_____

_____

_____

_____

_____

_____

KAPITEL 5 Dritte Stufe

Name _____ Klasse _____ Datum _____

Gute Besserung!

■ Los geht's!

1 Match the appropriate conversation excerpt to each picture.

1. _____

a. Ja, ich fühle mich gar nicht wohl. Ich habe Husten und Schnupfen, und der Hals tut mir furchtbar weh. Ich glaube nicht, daß ich morgen in die Schule gehe. Ich gehe vielleicht lieber zum Arzt.

b. Deine Stirn ist so heiß, Matthias. Ich glaube, du gehst heute nicht in die Schule. Ich mess' mal deine Temperatur.

2. _____

c. Wenn ich zwei Wochen in Mallorca bin, dann brauche ich eine Sonnencreme mit sehr hohem Lichtschutzfaktor, aber diese mit Lichtschutzfaktor 28 ist mir zu teuer. Ich nehme eine andere mit Faktor 22, die ist billiger.

3. _____

■ Landeskunde

1 Do most people you know have health insurance? Who pays for it? If you're not sure, ask some of them.

_____

_____

_____

_____

_____

2 In Germany, health insurance is paid for by both employer and employee, as well as the government. All people are guaranteed health coverage, for which workers pay part and their employer pays the rest. Insurance costs are relatively high in Germany, both to the individual and the employer, but coverage is universal (everyone is covered, even the unemployed) and comprehensive. People who are insured usually pay only a small fee for visits to their doctor or prescription medicines and have little or no out-of-pocket costs if hospitalized. How is this system different from the U.S health care and insurance system?

_____

_____

_____

_____

_____

_____

_____

3 What are some of the advantages and disadvantages of each system?

_____

_____

_____

_____

_____

_____

_____

_____

■ Erste Stufe

1 Match each expression to the appropriate picture below. Then write in the name or names of the people suffering from each of the following ailments.

| Moritz | Max | Sabine | Gerrit | Herr und Frau Becker | Maike und Sven |

1. Ihnen ist schlecht, weil sie Bauchschmerzen haben. _____

2. Er fühlt sich gar nicht wohl, denn er hat Kopfschmerzen. _____

3. Es geht ihm nicht gut, er hat Ohrenschmerzen. _____

4. Es geht uns miserabel, wir haben eine Erkältung. _____

5. Er kann kaum schlucken, weil er Halsschmerzen hat. _____

6. Es geht ihr gar nicht gut. Sie hat Zahnschmerzen. _____

2 Max and Moritz, the 5-year old twins, are not feeling well. Their mother is asking them what's wrong. Fill in the missing reflexive pronouns from the box. (Hint: remember to use the accusative form with **sich fühlen** and the dative form with expressions like **Ist dir nicht gut?**)

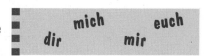

MAX   Mama, ich fühle _____ gar nicht wohl!

MORITZ   Ich mich auch nicht!

MAMA   Was fehlt _____ ?

MAX   Ich habe Kopfschmerzen.

MORITZ   Und ich habe Halsschmerzen.

MAMA   Geht erst mal ins Bett, und ich bringe euch Tabletten und Orangensaft.

MORITZ   Aber Mama, ich kann nicht schlucken!

MAMA   Du mußt aber unbedingt die Tablette nehmen, Moritz, dann wird es _____

besser gehen.

MAX   Wird es _____ auch besser gehen?

MAMA   Es wird _____ beiden besser gehen, wenn ihr eure Tabletten nehmt, den

Saft trinkt und ein bißchen schlaft.

3 Put the elements of the scrambled sentences in order to find out what Heike is suggesting. Remember to use the correct verb forms.

1. JOCHEN Ich habe Hunger.
   HEIKE mal / ins / Café / wir / gehen!

   _____

2. JOCHEN Die Tanja war heute nicht in der Schule.
   HEIKE sie / anrufen / wir / sollen?

   _____

3. JOCHEN Das Baby hat Ohrenschmerzen; es geht ihm nicht gut.
   HEIKE wir / zum / bringen / Arzt / es / wir / mal!

   _____

4. JOCHEN Ich habe jeden Tag Bauchschmerzen.
   HEIKE nicht / Fett / weniger / du / sollen / essen?

   _____

4 Use the pictures from Activity 5 on page 63 to form questions inquiring about the people's health.

> Wie fühlst du dich / fühlt ihr euch / fühlen Sie sich?
>
> Was fehlt dir / euch / Ihnen?
>
> Ist dir / euch / ihnen nicht gut?
>
> Wie geht es dir / euch / Ihnen?
>
> Ist was mit dir / euch / Ihnen?

1. Max: _____

   _____

   _____

2. Moritz: _____

   _____

3. Sabine: _____

4. Gerrit: _____

5. Herr und Frau Becker: _____

6. Meike und Sven: _____

5 Now pick three of the pictures from Activity 5 page 63 and write exchanges for them, in which you (A) inquire about the person in the picture's health, and (B) he, she, or they respond.

BEISPIEL <u>Sabine</u>
   A: Sabine, wie geht es dir?
   B: Nicht gut, ich habe Zahnschmerzen.

1. _____

   A: _____

   B: _____

2. _____

    A: _____

    B: _____

3. _____

    A: _____

    B: _____

6 Read the following message left on the answering machine at the local health clinic.

> Hallo, hier ist Tehrani. Meine Tochter ist fünf.
> Am Wochenende ist sie viel geschwommen,
> weil es so heiß war, und sie hat Wasser in
> die Ohren gekriegt. Heute hat sie Ohren-
> schmerzen und etwas Fieber. Was soll ich
> tun? Soll ich sie zum Arzt bringen? Oder
> geht es bald vorbei? Rufen Sie mich bitte an.
> Meine Nummer ist 70 67 87. Vielen Dank!

Now write down the message you would leave on the clinic's answering machine if
you had the following problem: You ate too much junk food at a soccer game. It
also got cold and rained at the game. Now you have a stomach ache, you're sneez-
ing and coughing, and you have a low fever. You would like to know what to do.

_____

_____

_____

_____

_____

_____

_____

_____

_____

_____

_____

_____

_____

KAPITEL 6 Erste Stufe

▪ Zum Lesen

1 Make a list of six things to take along on a trip which might be helpful for avoiding illnesses if you were going to visit a city and planned to stay in a hotel. Now make a second list of six items you would need if you were to go camping. How do these lists differ?

_____ _____ _____ _____

_____ _____ _____ _____

_____ _____ _____ _____

2 Read the article and complete the activities that follow.

Gesund im Urlaub

Die Urlaubszeit ist die kostbarste Jahreszeit. Und die möchte man unbeschwert genießen. Damit kleine Mißgeschicke Ihnen nicht die Ferienstimmung verderben, sollten Sie die Reiseapotheke nicht vergessen. Stellen Sie sich vor Ihrer Reise das Nötigste zusammen. Im Kaufhof können Sie auch komplette Verbandstaschen kaufen.

Was Sie dabei haben sollten:
• Fieberthermometer
• Pinzette
• Verbandsschere
• Pflaster
• Sicherheitsnadeln
• Desinfektionsmittel
• antiseptisches Puder oder Salbe
• Binden (elastisch und Mull-)

• Brand- und Sportgel
• Mittel gegen Insektenstiche und zum Schutz vor Insekten

Sollten Sie Medikamente benötigen, so lassen Sie sie sich am besten von Ihrem Hausarzt verschreiben. z.B. gegen Reisekrankheiten, Magen- und Darmstörungen, oder Erkältungskrankheiten

---

Excerpts from "Gesund Im Urlaub: Reiseapotheke" from *Freizeitideen*, Summer 1989, p. 109. Copyright © 1989 by *AFM Verlag GmbH*. Reprinted by permission of **AFM Verlag GmbH**.

3 Which of the following best describes the article?

 a. an account of a vacation during which the vacationers got sick
 b. advice about how to avoid getting sick while on vacation
 c. items to take on vacation which would be helpful in case of illness or injury

4 Place the items from the list in the article into the chart below according to the kind of vacation they are most helpful for.

Camping vacations	City vacations	All vacations
_____	_____	_____
_____	_____	_____
_____	_____	_____
_____	_____	_____

5 Look at the following definitions, then write the appropriate compound nouns from the article under the pictures.

Desinfektion *disinfectant*	Nadel *needle, pin*
Erkältung *cold*	Reise *trip; travel*
Insekten *insects*	Schere *scissors*
Krankheit *illness*	Sicherheit *safety*
Mittel *aid; agent*	Stich *sting*
	Verband *bandage*

1.

2.

3.

_____ _____ _____

4.

5.

6.

_____ _____ _____

Name _____ Klasse _____ Datum _____

◼ Zweite Stufe

1 Write down the appropriate body part in the slot according to its number on the drawing. Write it as if it were a dictionary entry, including the article and the plural form.

1. <u>der Kopf, ¨e</u> _____

2. _____

3. _____

4. _____

5. _____

6. _____

7. _____

8. _____

9. _____

10. _____

11. _____

2 Diese trockenen Knochen! Fill in the missing body parts in this translation of the familiar song *Them Dry Bones* ("the foot bone's connected to the ankle bone, the ankle bone's connected to the leg bone, the leg bone's connected...." etc.). *Don't forget that in this song, everything is a bone, even the throat!* Start with the head and go down to the feet.

Der Kopfknochen ist mit dem _____knochen verbunden. Der Halsknochen

ist mit dem _____knochen verbunden. Der Schulterknochen ist mit dem

_____knochen verbunden. Der _____knochen ist mit dem

_____knochen verbunden. Der _____knochen ist mit dem

_____knochen verbunden. Der _____knochen ist mit dem

_____knochen verbunden. Der _____knochen ist mit dem

_____knochen verbunden. Der _____knochen ist mit dem

Fußknochen verbunden.

3 Sarah, away from her home town for her first semester in college, is sick and is whiling away some time by writing her favorite Swiss aunt a letter. First skim her letter and underline all the verbs that take dative objects (there is a list in your textbook on p. 143), then fill in the appropriate accusative and dative pronouns. Remember, second person pronouns are capitalized in written correspondence.

Accusative ■ *Euch*
■ *mich* *Dich*

Dative ■ *mir* *Euch*
■ *Dir*

Liebe Tante Patrizia,

ich schreibe _____ heute diesen Brief, weil ich krank bin.

_____ geht es absolut miserabel. Ich habe Schnupfen und Husten. Der

Kopf tut _____ weh und mein Hals auch. Ich fühle _____ gar

nicht wohl. Hoffentlich geht es _____ viel besser.

Vielen Dank für die Geburtstagspralinen. Ich habe sie erst heute bekommen. Schade,

daß ich krank bin. Ich möchte sie essen, aber heute schmeckt _____ absolut

nichts, weil ich _____ so schlecht fühle.

Mutti hat _____ gesagt, daß Du und Sepp im Mai heiraten. Herzlichen

Glückwunsch! Ich will _____ bei der Hochzeit helfen. Ich könnte zum

Beispiel singen, etwas von Bach vielleicht.

Ich hoffe, daß ich _____ bald sehe. Wünsch _____ eine gute

Besserung! Bis bald,

Deine Sarah

Now say whether the following statements are true (**stimmt**) or false (**stimmt nicht**) based on what you read in the letter.

1. Sarahs Tante Patrizia ist heute krank. _____

2. Sarah will die Pralinen heute nicht essen, weil ihr heute nichts schmeckt. _____

3. Sarah und Sepp werden im Mai heiraten. _____

4. Sarah will Patrizia bei der Hochzeit helfen. _____

4 The children have been out making mudpies, but now it's time for them to get ready to go to dinner. Use the cues to tell them what to do to get ready.

BEISPIEL   Toby: die Haare kämmen   **Toby, kämm dir die Haare!**

1. Hansi: die Hände waschen _____

2. Jens und Karla: die Haare kämmen _____

3. Karina: die Zähne putzen _____

4. Tonio und Ute: das Gesicht waschen _____

5 Think of three people you know of who have had sports related injuries and what activities they were engaged in when they were injured. If you don't know people with this type of injury, make some up!

Wer?	Was?	Welche Aktivität?
Ich	das Knie verletzt	Fußballspielen
Mein Freund Tom	die Schulter verstaucht	Kegeln

6 Now pick three of the injuries you described above and write a sentence about each one.

BEISPIEL **Ich habe mir <u>beim Fußballspielen</u> das Knie verletzt.**
Mein Freund Tom hat sich <u>beim Kegeln</u> die Schulter verstaucht.

Hint: to make the phrase "while doing [a specific activity]" use the word **beim** (**bei + dem**) together with the capitalized verb as in the examples above.

1. _____

2. _____

3. _____

7 Imagine you hurt yourself yesterday playing hockey. Use the cues given in a logical sequence to help you write your description of what happened.

zum Arzt gehen   furchtbare Schmerzen   Hockey spielen
       Arzt: nicht verstaucht, gebrochen   sich den Arm verstauchen

Gestern habe ich _____

_____

_____

_____

_____

■ Dritte Stufe

1 Which things are important for staying healthy? Circle them.

Alkohol vermeiden

die Sonne vermeiden

einmal im Jahr zum Arzt
  gehen

Eis essen

Hausaufgaben machen

sich zweimal am Tag die
  Zähne putzen

ins Kino gehen

Kaffee trinken

Karten spielen

nur Sonnencreme mit hohem
  Lichtschutzfaktor benutzen

nur leichte Speisen essen

Sport treiben

täglich eine Portion Pommes
  frites essen

viel Fernsehen schauen

viel Wasser trinken

2 Match the picture with the correct sentence explaining what you do with it. Then fill in the blanks in each sentence with the appropriate item.

  a.   b.   c.   d.

_____ 1. Mit _____ wasche ich mir die Haare.

_____ 2. Mit _____ wasche ich mir die Hände.

_____ 3. Mit _____ putze ich mir die Zähne.

_____ 4. Mit _____ schütze ich mich gegen die Sonnenstrahlen.

3 For each of the following health complaints, write in the best response from the box.

> **Ruf mal den Arzt an!**   **Leg dich ins Bett und trink viel Wasser!**
>
> **Du sollst vielleicht nur leichte Speisen essen.**
>
> **Geh doch mal zur Apotheke!**

  1. Mein Kind hat hohes Fieber.

  _____

  2. Ich glaube, ich habe einen Sonnenstich.

  _____

3. Wenn ich Pommes und Schnitzel esse, bekomme ich immer Magenschmerzen.

_____

4. Meine Medizin ist alle.

_____

4 Fill in the crossword using the cues given. All the words in the puzzle are forms of the following verbs: **brechen, laufen, messen, waschen.**

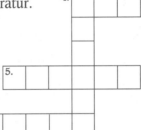

Moritz, kannst du Max helfen? Er __1__ das Mehl für den Kuchen, aber er kann den Meßbecher nicht alleine halten.
Max, du hast ja Fieber. Ich __2__ deine Temperatur.
Die Regina ist so sauber, die __3__ sich dreimal pro Tag das Gesicht!
Kinder, __4__ euch die Hände und kommt zu Tisch!
Der Thomas, der __5__ sich jedes Jahr das Bein! Ich glaube, der __6__ nicht so gut Ski!

5 What is wrong with each of these people?

1. _____
2. _____
3. _____
4. _____
5. _____
6. _____
7. _____

6 Now pick four people from the waiting room at bottom left and give them some friendly advice for their situations.

1. _____
2. _____
3. _____
4. _____

7 Joseph has written an account of the day last week when he hurt his ankle. Use it as a model for writing your own account of a time when you or someone you know got hurt.

Letzten Freitag, also am 13. Oktober, habe ich nach der Schule Basketball gespielt. Es war spät und ziemlich kalt. Ich war müde, und ich habe mir den Knöchel verstaucht. Weil ich nicht zu Fuß nach Hause gehen konnte, hat mich meine Mutter abgeholt und zum Krankenhaus gebracht. Die Ärztin hat mir gesagt, daß ich mir den Knöchel nicht verstaucht, sondern gebrochen habe. Jetzt habe ich einen Gipsfuß und darf nicht laufen. Die Ärztin sagte, ich kann vielleicht im Frühling wieder Fußball spielen.

_____
_____
_____
_____
_____
_____
_____
_____
_____
_____
_____
_____
_____
_____

KAPITEL 6 Dritte Stufe

7 Stadt oder Land?

■ Los geht's!

UMFRAGE

Name: _____
Alter: _____
Wohnort: _____

1. Wo wohnst Du jetzt?
___ in einer Großstadt
___ in einer Kleinstadt
___ in einem Vorort
___ in einem Dorf

2. Wo möchtest Du am liebsten wohnen?
___ in einer Großstadt
___ in einer Kleinstadt
___ in einem Vorort
___ in einem Dorf

3. Was sollte es in einem idealen Wohnort geben? Kreuz die
drei wichtigsten Eigenschaften an.
___ viele Geschäfte
___ wenig Verkehr
___ saubere Luft
___ viel zu tun (Kino, Theater, Diskos, usw.)
___ ruhiges Leben
___ viel Natur
___ gute öffentliche Verkehrsmittel
___ ganz viele Leute
___ nicht viele Leute

■ Erste Stufe

1 a. Look at the map below and describe where each of the following is located:

BEISPIEL   Der Bauernhof ist **auf dem Land.**

> am Marktplatz   an einem Fluß
>
> auf dem Land   in der Innenstadt
>
> in den Bergen   am Stadtrand

1. Der See ist _____ .

2. Der Bahnhof ist _____ .

3. Das Restaurant ist _____ .

4. Das Kino ist _____ .

5. Das Rathaus ist _____ .

b. Ist diese Stadt eine Großstadt oder eine Kleinstadt? Was meinst du? Warum?

_____

2 Compare the following objects. Describe the relationship of the second object to the first. **Ist er größer, schneller, länger, so groß wie der erste Gegenstand?**

 1.   Der Kuli ist _____

 2.   Das Buch ist _____

 3.   Die Schülerin ist _____

 4.   Die Hütte ist _____

 5.   Das Auto ist _____

Komm mit! Level 2

3 Fill in the blanks with the appropriate forms of the comparative adjectives.

BEISPIEL   Das Leben in der Großstadt ist schön, aber das Leben in der Kleinstadt ist **schöner.**

1. Die Straßen in der Kleinstadt sind sauber, aber die Luft ist _____ .

2. Im Vorort gibt es wenig zu tun, aber in der Großstadt gibt es _____ zu tun.

3. Dörfer sind tagsüber sehr ruhig, aber nachts sind sie noch _____ .

4. Die Restaurants in einem Dorf sind vielleicht teuer, aber die Restaurants in einer Großstadt sind noch _____ .

5. Im Winter wird der Schnee auf dem Land ein bißchen schmutzig, aber in Frankfurt wird er viel _____ .

4 In the chapter, you heard many students talking about the advantages and disadvantages of living in big cities and small towns. Use these terms to fill in the crossword puzzle below.

1. Man kann in der Kleinstadt gut atmen, weil sie saubere ____ hat.
2. Es gibt nicht so viele Autos in der Kleinstadt wie in der Großstadt, deshalb ist die Kleinstadt viel ____ .
3. In der Großstadt kommt man besser herum, weil es da viele ____ gibt.
4. Hier kann man wunderschöne Tänzer sehen. ____
5. Hier kann man Schauspiele sehen. ____
6. Hier kann man Leute singen hören. ____
7. Viele junge Leute leben gern in der Großstadt, denn es gibt da immer sehr viel zu ____ .
8. Weil die Großstadt so viel Verkehr hat, hat sie auch sehr viel ____ .

5 Imagine you're babysitting a very environmentally-conscious, precocious 4-year old who wants to know why things are the way they are. Use **weil-** and **da-**constructions to answer his incessant questions as best you can.

BEISPIEL   Warum sterben die Bäume im Schwarzwald?
Die Bäume sterben, weil die Luft so schmutzig ist.

1. Warum ist die Luft in der Stadt so schmutzig?

_____

2. Warum ist es in der Stadt so laut?

_____

3. Warum kommen die Leute vom Land so oft in die Stadt?

_____

4. Warum laufen die Leute so schnell?

_____

5. Warum ist der Himmel grau?

_____

6 Answer the questions explaining which of the two choices you prefer and why.

BEISPIEL   Äpfel/ Orangen   Welches Obst ziehst du vor? Warum?
<u>Ich ziehe Äpfel vor, weil sie halt besser schmecken.</u>

1. Actionfilme / Komödien   Was für Filme gefallen dir besser? Warum?

   _____

2. Liebesromane / Science-fiction Romane   Welche Romane liest du lieber? Warum?

   _____

3. Ballett / Oper   Was findest du interessanter? Warum?

   _____

4. Kino / Theater   Was hast du lieber? Warum?

   _____

5. Leben in der Großstadt / Leben auf dem Land   Welches Leben gefällt dir besser? Warum?

   _____

7 Look at the following sketches of German people. All of them are explaining whether they prefer the city or the countryside. Fill in the blanks with what you imagine they are saying.

_____   _____   _____

_____   _____   _____

_____   _____   _____

_____   _____   _____

_____   _____   _____

_____   _____   _____

_____   _____   _____

_____   _____   _____

■ Landeskunde

1 You have learned a great deal about German cities. Do you think German towns and cities are similar to those in the United States? Make a list of things you would expect to find only in German cities, only in American cities, and in both.

U.S.A.	Germany	Both
_____	_____	_____
_____	_____	_____
_____	_____	_____
_____	_____	_____
_____	_____	_____

2 Review what the German teenagers on page 167 of your textbook say about life in big cities and small towns. Do you think the difference between big cities and small towns in the United States is as great? Why or why not?

_____

_____

_____

_____

_____

_____

3 Imagine you went out on the town in a big American or German city with your friends last night. Write a letter to your German pen pal telling what you did. Make sure your activities reflect whether you were in an American or a German city!

_____

_____

_____

_____

_____

_____

Name _____   Klasse _____   Datum _____

■ Zweite Stufe

1 For each of the following rooms, make a list of the things from the box you might find there.

Bett	Sessel	Eßtisch	Stereoanlage	Waschbecken	Kühlschrank	Spiegel
	Herd	Ofen		Stühle	Sofa	

Schlafzimmer	Küche	Wohnzimmer	Badezimmer	Eßzimmer
_____	_____	_____	_____	_____
_____	_____	_____	_____	_____
_____	_____	_____	_____	_____

2 Look at the pictures below. What rooms do you think these dwellings have? Draw a floorplan of each home, arranging it as you think it should be and labeling all the rooms.

Which one of these homes looks more like your dreamhouse?

_____

3 You are reading ads in the newspaper to find a new place to live. Look at the following ads then write them out in complete sentences.

IMMOBILIEN – ANGEBOTE	
EFH in Bischofsheim, 3 Schlafzi., Wohnzi., Küche, Bad, Keller, herrliches Grundstück, nur 5 km zum Bhf., DM 240 000. Tel.: 26589	**RHH,** Baujahr '68, 4 Schlafzi., Terr., Bad, WC, kl. Garten, Gar., 5 Min. zur S-Bahn. DM 380 000. Tel.: 30426

Das Einfamilienhaus in Bischofsheim hat drei _____

_____

_____

_____

Hier ist ein Reihenhaus, Baujahr 1968. Es hat _____

_____

_____

_____

4 You and your roommate are looking for a new place to live, but your are in a very disagreeable mood today and respond to everything your roommate says with the complete opposite.

BEISPIEL Ich möchte in einer kleinen Wohnung wohnen.
        Aber ich möchte in einer großen Wohnung wohnen.

1. Ich wünsche mir ein schönes Haus mit einem großen Garten.

_____

2. Ich möchte eine moderne Küche mit neuen Dingen.

_____

3. Ich möchte in einem ruhigen Stadtteil wohnen.

_____

4. Ich möchte billige Möbel kaufen.

_____

5. Ich wünsche mir einen neuen Zimmerkollegen.

_____

HRW material copyrighted under notice appearing earlier in this work.

5 Grandpa made a chart of what everybody wanted for the holidays to make sure he remembered all of his relatives. Help him decipher the chart so he can get his shopping done! Write sentences below to explain who wants what. Make sure you use the correct adjective endings in your sentences.

Renate	Enkelin	Schlittschuhe (neu)
Inge	Tochter	Gummistiefel (gelb)
Karl	Inges Mann	Auto (rot)
Otto	Enkel	Computerspiel (toll)
Hilde	Frau	Haus (neu/in der Großstadt)
Michael	Sohn	Hemd (gestreift)

BEISPIEL   **Renate, Opas Enkelin, wünscht sich neue Schlittschuhe.**

1. _____

2. _____

3. _____

4. _____

5. _____

6 Look at the box on the right. Circle the things you would wish for everyone, square the things you would wish for yourself, and star the things you would wish for your children.

eine gute Ausbildung   keinen Hunger

ein friedliches Leben   keine Armut

einen tollen Job

ein schönes Auto   ein eigenes Zimmer

eine neue Stereoanlage

eine saubere Umwelt   keinen Krieg

7 Imagine that you just found a genie in a lamp. The genie has agreed to grant you three wishes. What three things would you wish for? Explain your answers.

_____

_____

_____

_____

_____

_____

_____

_____

■ Zum Lesen

1 The following texts were taken from interviews in a German magazine. Read the texts and then complete the activities which follow.

Was ist für Sie das Paradies?

Prominente sagen, wo sie es gefunden haben.

Julia Roberts:	**Niki Lauda:** Mein	**E. Volkmann:**	**Harrison Ford:**	**Gerd Gerken:**
Paradies ist für mich, meinen Mann in der Badewanne singen zu hören. Selbst wenn es scheußlich klingt.	Paradies ist da, wo ich meine Ruhe habe und mich keiner quält. Dabei ist mir der Ort völlig egal.	Wir leben hier in einem Paradies, wenn ich sehe, wieviel Gewalt, Krieg und Elend es auf der Welt gibt.	Ich habe mein Paradies gefunden. Es ist am Fuß der Rocky Mountains, hat 320 Hektar und einen eigenen See.	Paradies ist, wenn die Arbeit, die ich gerade mache, genauso hell leuchtet wie die Sonne, in der ich gerade sitze.

Excerpts from "Was ist für Sie das Paradies?" from *Freundin*, 9/94, p. 154. Reprinted by permission of **Burda GmbH**.

2 What is most important for each star's paradise—the person or people they are with, the place they are, or the activities they are engaged in?

Julia Roberts _____   Harrison Ford _____

Niki Lauda _____   Gerd Gerken _____

E. Volkmann _____

3 Use grammatical and lexical cues to determine the meanings of the phrases below. Circle the subject of each clause and give an English equivalent of the phrase.

1. und mich keiner quält: _____

2. Paradies ist für mich, meinen Mann in der Badewanne singen zu hören:

   _____

3. Dabei ist mir der Ort völlig egal: _____

4 Which of the responses do you most agree with and why?

_____

_____

5 Describe your own paradise in terms of where it would be, who would be there with you, and what you would do there.

_____

_____

_____

_____

Name _____   Klasse _____   Datum _____

■ Dritte Stufe

1 Look at the picture at the right and list all the things that make noise.

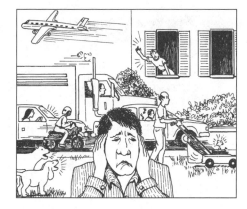

_____

_____

_____

_____

2 Use the vocabulary items from the box to replace the underlined phrases below.

1. Man soll vermeiden, <u>das Auto laut und schnell zu starten</u>.

   _____

2. Man spielt das Radio <u>nicht zu laut und nicht zu leise</u>.

   _____

3. Man <u>fährt ohne einen wichtigen Grund</u>.

   _____

4. Man soll den Motor abstellen, wenn man dort wartet, <u>wo die Züge vorbeifahren</u>.

   _____

5. Viele Leute fühlen sich durch Lärm <u>gestört</u>.

   _____

6. Wenn man <u>immer daran denkt, wie man den Lärm vermindern kann</u>.

   _____

> Lärmschutz
> Lastkraftwagen und Busse
> Normalstärke   unnötige Fahrt
> belästigt   Kavalierstarts
>   Geschwindigkeitsbeschränkung
> lärmbewußtes Verhalten   Bahnübergang

7. <u>Diese Fahrzeuge</u> verursachen einen größeren Lärm als Personenkraftwagen.

   _____

8. Auf einem Schild steht <u>eine Zahl, die zeigt, daß man nicht schneller fahren darf</u>.

   _____

9. <u>Was man machen soll, damit die Leute nicht durch Lärm belästigt werden</u>.

   _____

3 In each of the pictures below, someone is being inconsiderate about noise. Ask them politely to change whatever is necessary.

BEISPIEL **Stellen Sie das Radio auf Normalstärke, bitte!**

1.   2.   3.   4.   5.

1. _____
2. _____
3. _____
4. _____
5. _____

4 You and your friend, Michael, are trying to decide what to do for the evening. He makes several suggestions which you don't particularly like, but, being polite, you don't want to simply disagree. Write sentences expressing your reservations (given in parentheses).

BEISPIEL

MICHAEL Ich will ins Kino gehen. Ich möchte den neuen Film mit Harrison Ford sehen. Möchtest du den auch sehen? (zu brutal)

DU **Ja, schon, aber ich finde seine Filme zu brutal.**

1. MICHAEL Ich habe Hunger. Ich will in diesem chinesischen Restaurant essen. Willst du auch hier essen? (zu teuer)

   DU _____

2. MICHAEL Ich will tanzen gehen. Willst du mit mir in diese Disko gehen? (zu laut)

   DU _____

3. MICHAEL Fahren wir lieber mit dem Zug. Die Busse sind zu langsam. Findest du nicht? (Busse fahren weiter in die Stadt hinein)

   DU _____

4. MICHAEL Ich glaube, wir sollen nach Hause gehen. Was meinst du? (es ist noch früh)

   DU _____

5 Draw a simple face with all the usual features— hair, ears, eyes, nose, mouth, etc. Then draw a second face next to it following the instructions below.

1. Mach die Nase größer!
2. Mach die Augenbrauen dunkler!
3. Mach die Wimpern länger!
4. Mach die Ohren kleiner!
5. Mach den Mund runder!
6. Mach das Kinn eckiger!
7. Mach die Haare kürzer!
8. Mach deine eigenen Veränderungen!

Gesicht 1   **Gesicht 2**

Now describe the second face in relation to the first.

BEISPIEL Das zweite Gesicht hat **eine größere Nase.**

1. Das zweite Gesicht hat _____ .
2. Das zweite Gesicht hat _____ .
3. Das zweite Gesicht hat _____ .
4. _____ .
5. _____ .

6 You are in debate class and the topic of the day is **Verkehrsmittel—gut oder schlecht?** In the paragraph below, one student argues for the advances in transportation technologies. Read it and then present an opposing view that improved transportation has brought many problems such as noise and air pollution. You may want to agree with some of the points of the first paragraph. Be sure to present reasons for your point of view.

Die modernen Verkehrsmittel sind etwas Wunderbares. Vor hundert Jahren sind Leute oft krank geworden, und sie konnten keine Hilfe bekommen, weil es keine Verkehrsmittel gab, um zum Krankenhaus zu fahren. Es gab keine Busse, keine Flugzeuge, keine Autos, und Leute sind oft gestorben, die heutzutage schnell ins Krankenhaus kommen könnten.

Verkehrsmittel sind auch wunderbar, weil sie die Welt kleiner gemacht haben. Jetzt kann man innerhalb eines Tages von Amerika nach Deutschland fliegen. Die Leute der verschiedenen Länder verstehen sich viel besser. Sie haben weniger Angst vor anderen Kulturen.

Manchmal muß man schnell irgendwohin fahren, und manchmal will man schnell irgendwohin fahren. Die modernen Verkehrsmittel machen diese Dinge möglich.

_____

_____

_____

_____

_____

_____

_____

_____

_____

_____

_____

_____

_____

_____

_____

KAPITEL 8

Mode? Ja oder nein?

■ Los geht's!

1 Complete the following survey about you and your family's fashion sense. Then add up your score to determine how fashionable your family really is.

Kreuze je die betreffende Antwort an!

1. Meine Mutter zieht sich eigentlich immer _____ an.
  a. altmodisch
  b. sportlich
  c. flott

2. Meine Kleidung besteht hauptsächlich aus Klamotten, die _____ sind.
  a. lässig
  b. bequem
  c. fesch

3. Mein Vater hat seinen eigenen Stil. Er sieht meistens ganz _____ aus.
  a. verrückt
  b. einfach
  c. schick

4. Im Moment tragen meine Geschwister total _____ Sachen.
  a. fetzige
  b. natürliche
  c. modische

Hier sind die Resultate:

Wenn du „a" am meisten angekreuzt hast:
Deine Familie braucht dringend Hilfe! Laßt euch in der Modeabteilung beraten!

Wenn du „b" am meisten angekreuzt hast:
Für deine Familie paßt das folgende Sprichwort: Gleich und gleich gesellt sich gern (*birds of a feather flock together*). Doch ein kleiner Tip: Jeder soll versuchen, einen individuellen Stil zu finden!

Wenn du „c" am meisten angekreuzt hast:
Bei euch spielt Mode eine große Rolle! Deine Familie ist informiert über die neusten Modestile und weiß, wie eine flotte Garderobe zusammengestellt wird!

■ Landeskunde

1 Based on what you have learned about how Germans like to dress, complete the chart with what you believe a German student and a typical American student would wear for each of the occasions.

	Deutschland	Amerika
zu einer Fete		
beim Tennisspiel		
beim Reiten		
in der Schule		

KAPITEL 8 Landeskunde

■ Erste Stufe

1 Fill in each blank with the correct ending.

1. Dies_____ olivgrün_____ Krawatte gefällt dem Dietmar .

2. Dies_____ weiß_____ Pulli paßt echt gut zu dies_____ schwarz_____ Rock.

3. Was hast du nur mit dies_____ neu_____ Schuhen gemacht? Die sehen ja bereits scheußlich aus!

4. Jens arbeitet am liebsten in dies_____ alt_____ Jeans.

5. Der da? Das ist der Uwe, der Junge mit d_____ feuerrot_____ Hemd und d_____ blau_____ Shorts.

6. Welch_____ Schuhe gefallen dir am besten, diese weiß_____ Schuhe oder diese schwarz_____ Schuhe?

7. Wie heißt das Mädchen da drüben mit d_____ blau_____ Rock und d_____ grau_____ Jacke?

8. Wann hast du vor, dies_____ bunt_____ Anorak zu tragen?

9. Ich finde, daß dir dies_____ Hemd einfach besser steht als d_____ blau_____ T-Shirt.

10. Angela trägt am liebsten dies_____ bequem_____ grau_____ Turnschuhe.

2 Some German-speaking exchange students at your school are asking for your advice on what to wear to different events. Choose at least three items from the box to suggest to each student.

BEISPIEL   Sonja geht am Samstag in die Disko.
            Ich schlage vor, daß du Jeans, ein fesches T-Shirt und eine Jeansweste anziehst.

Krawatte	Shorts	Hemd	Turnschuhe		Kleid		Anorak		T-Shirt
Gürtel	Jeans		Blazer	Rock	Shirt	Jeansweste	Käppi	Pulli	Bluse

1. Andreas geht am Freitag zu einem Baseballspiel.

   _____

   _____

2. Sandra geht Sonntag nachmittag ins Kino.

   _____

   _____

3. Der Jens geht am Samstag abend ins Theater.

   _____

   _____

3 Imagine you have DM 350 to spend on clothing while on an exchange in Germany.

a. Use the advertisement on page 188 in your textbook to make a list of what you plan to buy.

_____   _____

_____   _____

_____   _____

b. Explain briefly why you chose these items and tell where you plan to wear them.

_____

_____

_____

_____

_____

_____

4 Complete the conversation overheard at a party by filling in the blanks with words from the box below.

| Mode-Freak | lässig | Jeansweste | geblümte Krawatte | modisch |
| schwarze | weißen Turnschuhen | karierte Hemd | scharf | Jeanshemd |

UWE   Siehst du, was der Roland trägt?

MAX   Ja, der ist ein richtiger _____ . Das _____

Outfit steht ihm gut.

UWE   Und wie findest du die _____ von der Mara?

MAX   Sieht total _____ aus. Aber das _____

paßt irgendwie nicht dazu.

UWE   Und guck mal, der Dietmar sieht _____ aus. Die

_____ und das _____ sind wirklich

_____ , findest du nicht?

MAX   Ja, das paßt echt gut zu den _____ .

5 Use the cues to write sentences telling your opinion of each item.

BEISPIEL   weiß, Hemd
Das weiße Hemd sieht toll aus.

1. gefüttert, Windjacke

   _____

2. bunt, Gürtel

   _____

3. kariert, Blazer

   _____

4. sportlich, Anorak

   _____

5. cool, Käppi

   _____

6 Use the space provided to sketch an outfit you would like to have and make a list of the items you would need for the outfit.

_____

_____

_____

_____

_____

7 Now write a short paragraph describing the outfit you would like to have.

_____

_____

_____

_____

_____

■ Zweite Stufe

1 See how many clothing words you can spell
by moving from letter to letter horizontally,
vertically, or diagonally in the grid below. You
can only use a particular letter once per word.

_____

_____

_____

_____

```
H  W  E  D  T
W  E  M  S  E
A  N  O  R  E
E  T  S  C  A
S  J  N  E  K
```

_____

_____

2 Complete the puzzle with the opposites of the following words.

1. weit   __ __ G

2. lang   __ U __ __

3. billig   __ E __ __ __

4. klein   __ R __ __ __

5. einfarbig   __ __ __ T

6. hart   __ E __ __ __

7. laut   L __ __ __ __

3 Complete the following sentences by filling in the correct form of **sich interessieren**,
including the reflexive pronoun, then finish the sentence as appropriate.

1. Ich _____ für_____ .

2. Mein bester Freund _____ für _____ .

3. Meine ganze Familie _____ für _____ .

4. Meine Eltern _____ für _____ .

5. Du _____ für _____ , nicht wahr?

6. Im Fernsehen _____ wir _____ eigentlich hauptsächlich für

_____ .

4 What would you say to each of these people? Use the appropriate form of address.

BEISPIEL   **Peter**   <u>**Der Anorak paßt dir überhaupt nicht! Er ist zu groß.**</u>

1.   **Boris**   _____

2.   **Herr Schmidt**   _____

3.   **Max**   _____

4.   **Ulrike**   _____

5.   **Frau Friedl**   _____

5 How would you compliment the pictured people on the clothes they are wearing and how might they respond?

1.　　　　2.　　　　3.　　　　4.

1. _____
_____

2. _____
_____

3. _____
_____

4. _____
_____

6 Your German pen pal wants to find out a little bit more about your interests as well as things you might not be interested in. How would you answer your pen pal's question: **Wofür interessierst du dich sehr und wofür nicht so sehr?**

Lesen　Heavy-Metal Musik　Fremdsprachen　Tanzen　Theater　Politik　Sport
Wandern　Mode　Autos　Geschichte　Reisen

_____
_____
_____
_____
_____
_____

◼ Dritte Stufe

1 Make compund nouns by combining words from each column. Write them in the space provided.

Träger	Pullover
Rollkragen	Rock
Mini	Jacke
Steg	Hose
Woll	Hemd
Leder	Top

_____

_____

_____

_____

_____

_____

2 Katrin is trying to clean out her closet, and Judith is trying to help. Draw a line from the comment or question on the left to the most logical response on the right.

Warum willst du denn diesen
Minirock wegwerfen?

Kannst du mir die schwarze
Steghose leihen für die Fete am
Samstag?

An dieser Bluse fehlen zwei Knöpfe.

Und was ist mit diesem Trägerhemd?

Toller Anzug! Magst du ihn nicht
mehr?

Klar, wenn sie dir paßt!

Schade, die sieht echt fesch aus!

Der Reißverschluß ist kaputt.

Nein! Der ist aus Polyacryl, und
deshalb mag ich ihn nicht.

Es ist aus Seide. Echt schön, aber es
ist mir leider jetzt zu klein.

3 Roland and Boris are in a department store. What are they buying? Complete the following excerpts from the conversations in the department store with the correct forms of the verb **sich kaufen** and the item given.

1. Blouson   BORIS   Roland, was _____ du _____ ?

                 ROLAND   Ich glaube, ich kaufe _____ .

2. Shorts   ROLAND   Und was kaufst du _____ , Boris?

               BORIS   Ich kaufe _____ für den Sportunterrricht.

3. Turnschuhe   SABINE   Roland und Boris, was kauft ihr _____ hier?

    ROLAND UND BORIS   Oh, hallo Sabine! Wir kaufen _____ .

4. CDs   BENJAMIN   Schau mal Ute, da sind Roland und Boris schon wieder. Was

                         kaufen sie _____ denn jetzt?

              UTE   Sie kaufen _____ .

4 Sandra and Katrin are thinking about going shopping this afternoon. Complete their conversation by filling in the blanks with **wenn** or **wann** as appropriate.

SANDRA   Ich brauch' ein paar neue Klamotten. Kommst du mit ins Einkaufszentrum?

KATRIN   Ja, gern, aber _____ gehst du?

SANDRA   Ich möchte heute nachmittag gehen, aber ich muß noch zu Hause helfen. Also,

            ich gehe erst, _____ ich zu Hause fertig bin.

KATRIN   Meinst du, wir können früher gehen, _____ ich dir zu Hause helfe?

SANDRA   Ja! Das wäre toll.

KATRIN   Also, gut. _____ soll ich zu dir kommen?

SANDRA   Gleich nach dem Mittagessen, _____ es dir recht ist.

KATRIN   Kein Problem. Bis dann!

SANDRA   Bis dann! Tschüs!

5 Complete the following sentences, using **wenn** and the information given.

1. Ich trage den Müll nicht raus.

   Meine Eltern schimpfen, _____

2. Unsere Clique ist am Strand.

   Wir spielen immer Volleyball, _____

3. Wir gehen in die Konditorei Böhmer.

   Ich bestelle gern Schwarzwälder Kirschtorte, _____

4. Wir spielen die Musik zu laut.

   Es gibt Krach bei uns im Haus, _____

5. Meine Großeltern kommen zu Besuch.

   Die Steffi und ich müssen unser Zimmer aufräumen, _____

   _____

6 Complete each of the following statements.

1. Wenn ich zu einer Fete eingeladen bin,

   _____

2. _____,

   wenn ich eine schlechte Note in Mathe bekomme.

3. Wenn ich allein zu Hause bin,

   _____

4. Wenn ich zum Geburtstag Geld bekomme,

   _____

5. _____,

   wenn ich mit meinen Freunden ins Kino gehe.

7 Answer the following question in a detailed paragraph.

Was kaufst du dir, wenn du einen $1000 Gutschein von deinem Lieblingskaufhaus gewinnst?

_____

_____

_____

_____

_____

_____

■ Zum Lesen

Wer ist der Affe im rosa Hemd?

Fünf Affen sitzen an einem Tisch. Sie heißen Pep, Pop, Pip, Lulu und Lily. Jeder Affe trägt ein Kleidungsstück. Einer trägt Jeans. Die anderen Affen tragen ein T-Shirt, ein Kleid, einen Pulli, ein Hemd. Alle Kleidungsstücke haben verschiedene Farben: rot, blau, grün, gelb und rosa. Wie heißt der Affe im rosa Hemd? Du bekommst sechs Tips!

1. **Pop trägt immer Jeans.**
   Neben ihm sitzen ein Affe in Blau und Pip.
   Pip sitzt nicht auf Platz A.

2. **Ein Affe trägt ein T-Shirt. Pep sitzt zwei Plätze im Alphabet davor.**

3. **Lulu heißt der Affe auf Platz D.**

4. **Kein Affe am Ende des Tisches trägt den gelben Pulli.**

5. **Ein Affe in Grün sitzt zwei Plätze neben Lily.**

6. **Das Kleid ist nicht rot. Der Affe auf Platz E trägt kein Kleid.**

KAPITEL

9 Wohin in die Ferien?

■ Los geht's!

1 Katrin's friend, Ben, is asking her questions about her cancelled vacation. How is she most likely to respond to each of his questions?

BEN   Wohin wolltet ihr fahren?
KATRIN   a. Die Fahrt ist ins Wasser gefallen.
　　　　b. Wir wollten nach Stuttgart fahren.
　　　　c. Wir wollten nach Mittersill in Tirol fahren.

BEN   Warum könnt ihr nicht dorthin fahren?
KATRIN   a. Durch Hochwasser wurde eine Brücke gesperrt.
　　　　b. Es gibt nur eine Straße nach Mittersill.
　　　　c. Wir sitzen immer nur vor dem Fernseher!

BEN   Warum nehmt ihr nicht einen anderen Weg?
KATRIN   a. Wir wollen nicht mit dem Zug fahren.
　　　　b. Fliegen ist uns zu teuer.
　　　　c. Der einzige Weg nach Mittersill führt über die kaputte Brücke.

BEN   Warum fahrt ihr nicht an einen anderen Ort?
KATRIN   a. Ich mach' lieber in Bietigheim Ferien und spiel' hier Tourist.
　　　　b. In anderen Orten bekommt man kein Zimmer mehr, weil alles schon reserviert ist.
　　　　c. Meine Freunde wollen mit mir in Bietigheim spielen, und deswegen bleibe ich lieber hier!

KAPITEL 9 Los geht's!

■ Landeskunde

1 As you know, the vacation schedule for German schools is staggered. In addition, most **Bundesländer** have considerably more holidays than in the United States. For instance, in Nordrhein-Westfalen students and workers get time off for Carnival, Easter, and various other events. You have probably also heard that employees in Germany receive a minimum of 30 days of paid vacation each year, regardless of seniority. Imagine that you are an employee in Germany; weigh the benefits and disadvantages of so much time off. Consider the impact on yourself, your friends, your employers, and society as a whole.

_____

_____

_____

_____

_____

_____

_____

_____

_____

2 Suppose the German holiday and vacation schedule model were to be implemented in the United States. What would change for you and your family?

_____

_____

_____

_____

_____

_____

_____

_____

_____

_____

■ Erste Stufe

1 Think about the means of transportation you would use to reach each of the list-ed destinations. Mark the appropriate boxes.

	der Urlaub	das Konzert	das Museum	die See	der Tennisplatz	der Park
[bicycle]						
[train]						
[airplane]						
[ship]						
[car]						

2 Based on your answers in Activity 1, write five sentences telling what means of transportation you use to get to each destination.

■ an   auf   ins
■ zum   in

BEISPIEL   **Ich fahre mit dem Fahrrad zum Museum.**

1. _____

_____

2. _____

_____

3. _____

_____

4. _____

_____

5. _____

_____

KAPITEL 9 Erste Stufe

3 Karolin and Michael are discussing where to go on vacation. Complete their conversation by filling in the appropriate preposition.

> nach   ans   in
> auf   an

MICHAEL   Fahren wir doch _____ Mittelmeer!

KAROLIN   Nein, ich möchte lieber _____ die Vereinigten Staaten fliegen, vielleicht nach

Miami?

MICHAEL   Nein, nicht _____ Miami! Ich kann doch kein Englisch.

KAROLIN   Selber schuld! Dann bleib in Deutschland und fahr _____ Bayern!

MICHAEL   Wieso machst du Witze? Du bist doch selber _____ die bayrischen Alpen

gefahren ...

KAROLIN   Ja, _____ die Zugspitze, aber einigen wir uns doch auf etwas.

MICHAEL   Ich will unbedingt _____ Meer fahren!

KAROLIN   Also gut, wir fahren _____ Griechenland!

4 You are at the train station in Munich trying to catch a train to Vienna. However, a train station employee, Herr Barsch, informs you that your train is late and nobody knows when it will arrive. Unscramble the fragments below to reconstruct the discussion.

H. BARSCH   große / eine / Verspätung / hat / dieser Zug / . /

_____

DU   der Zug / in einer Stunde / ist / vielleicht / da / ? /

_____

H. BARSCH   / . / ich / das / nicht / glaube /

_____

DU   machen / ich / was / ? / soll / Schade! / bloß /

_____

H. BARSCH   einen Film / , / Sie / . / ich / sich anschauen / schlage vor / im Bahnhofskino / an

/ daß /

_____

_____

5 Everybody wants to do something different! Use the cues provided to write sentences telling what these people suggest.

1. Paul: ins Kino / ich: in den Park

   _____

   _____

2. Ute: nach Frankreich / Ihre Familie: zu Hause

   _____

   _____

3. Herr und Frau Heine: eine Pause machen / die Familie Heinrich: weiterspielen

   _____

   _____

6 You and your German pen pal are finally going to meet. In fact, you are going to go on an exotic vacation together. Write him or her a letter suggesting some place you would like to go and reasons why. Don't forget to ask for you pen pal's suggestions!

_____

_____

_____

_____

_____

_____

_____

_____

_____

_____

_____

_____

_____

_____

_____

_____

KAPITEL 9 Erste Stufe

■ Zweite Stufe

1 Hotels sometimes offer many facilities to their guests. Use the following clues to fill in the crossword puzzle. Note: In this puzzle ß is spelled **ss**.

1. Man schwimmt in einem ___.
2. Man spielt Golf auf einem ___.
3. Man macht Gymnastik in einem ___.
4. Man spielt Tennis auf einem ___.
5. Im ___ guckt man sich Filme und andere Sendungen an.
6. Um sich zu sonnen, kann man am ___ am Meer liegen.
7. Freunde treffen sich in der ___ , wenn sie tanzen wollen.
8. Man darf nicht länger als fünfzehn Minuten in der ___ bleiben, sonst wird es einem zu heiß.
9. Das Wasser im ___ ist normalerweise ziemlich heiß, aber es tut einem gut nach der Gymnastik.
10. Man kann sich auf einer ___ ausstrecken und in der Sonne relaxen.

2 a. Jörg doesn't know where he wants to go on vacation so he is asking Frau Beck, a travel agent, for ideas. Complete their conversation by filling in the appropriate definite articles.

der	den	die
dem	der	das

FRAU BECK   Guten Tag! Wie kann ich Ihnen behilflich sein?

CHRISTIAN   Ich möchte mit meiner Familie irgendwohin fahren. Was schlagen Sie vor?

FRAU BECK   Also, wenn Sie ins Ausland wollen, können Sie zum Beispiel in _____ Vereinigten Staaten fliegen.

CHRISTIAN   Naja, das wäre schön, aber in _____ Vereinigten Staaten ist alles so teuer. Außerdem wollen wir vielleicht nicht ganz so weit weg.

FRAU BECK   Hm. Dann können Sie vielleicht in _____ Schweiz fahren.

CHRISTIAN   Das klingt interessant. Was kann man alles in _____ Schweiz machen? Da kann man auf _____ Matterhorn steigen, nicht?

FRAU BECK   Ja. Sie können in _____ Berge fahren oder vielleicht auch an _____ Bodensee. An _____ Bodensee ist sehr viel los.

CHRISTIAN   Und was würden Sie vorschlagen, wenn wir doch in Deutschland bleiben wollen?

FRAU BECK   In Deutschland haben Sie auch recht viele Möglichkeiten. Sie können zum Beispiel in _____ Schwarzwald fahren oder an _____ Rhein.

CHRISTIAN   In _____ Schwarzwald waren wir schon, aber an _____ Rhein waren wir noch nicht. Das wäre eine gute Idee. Können Sie mir irgendwelche Reiseprospekte geben?

FRAU BECK   Natürlich!

b. Many of the preposition and article combinations you used in the dialogue above are more commonly used as contractions. Go back through the dialogue and replace the prepostion and article with a contraction wherever possible.

3 Look at the three pictures below and answer the questions about them.

1.   A. Wo ist Hans?

_____

_____

B. Wohin fährt er?

_____

_____

2.   A. Wo ist die Mutter?

_____

_____

B. Wohin geht die Katja?

_____

_____

3.   A. Wo sind Ute und Hans?

_____

_____

B. Wohin gehen sie?

_____

_____

4 Annette and Andreas are thinking about going to the beach at Warnemünde in Mecklenburg-Vorpommern. While Andreas is very positive about the trip, Annette has some doubts. Complete their conversation by filling in the blanks with appropriate expressions.

ANNETTE _____ es in Warnemünde eine Möglichkeit gibt, Golf zu spielen.

ANDREAS _____ wir eine Möglichkeit finden werden, auch wenn wir am Strand spielen müssen!

ANNETTE _____ wir dort segeln, tauchen und angeln können.

ANDREAS _____ wir dort jede Art Wassersport treiben können.

ANNETTE _____ wir dort eine gute Diskothek finden werden.

ANDREAS _____ wir eine tolle Diskothek finden.

5 You have just won a free three-day vacation at a resort on the beach. In order to make the most of the facilities, you need to plan ahead. Use the chart below to plan what you will do each day.

	Freitag	Samstag	Sonntag
am Morgen			
am Nachmittag			
am Abend			

6 Now imagine you have taken your free trip. Use the plan you made in Activity 5 as the basis for a letter telling your German pen pal all about your vacation.

_____

_____

_____

_____

_____

_____

_____

_____

_____

_____

_____

▪ Dritte Stufe

1 Write the words that are opposite or nearly opposite in meaning.

vor
in
links
zwischen
bei

_____
_____
_____
_____
_____

rechts
gegenüber
neben
nach
aus

2 Jens was sightseeing in Bietigheim all day and he wrote the following entry in his journal. Complete his description by filling in the appropriate prepositions. Use preposition + article contractions when possible. You will need to look at the map of Bietigheim on page 220 of your textbook.

Tagebucheintragung, Donnerstag den 15. August

Heute nachmittag habe ich einen Spaziergang durch Bietigheim gemacht. Zuerst

bin ich _____ Schwätzgäßle _____ kleinen Bürgerhaus gegan-

gen. _____ dem kleinen Bürgerhaus kann man die evangelische

Stadtkirche sehen. Ich bin dann gleich _____ die Ecke gegangen und

_____ die Pfarrstraße eingebogen, denn von dort hat man einen tollen

Blick auf das Hormoldhaus. Ich bin allerdings nicht _____ Hormoldhaus

gegangen, weil ich eigentlich _____ Marktplatz wollte. Also bin ich

links an der Kirche vorbeigegangen und war dann auch gleich _____ dem

Marktplatz. _____ Marktbrunnen habe ich mich _____ eine

Bank gesetzt und habe ein paar japanische Touristen beobachtet, die

_____ dem Rathaus standen. Eine nette alte Dame kam auf mich zu und

hat gefragt, ob sie sich _____ mich setzen darf. Wir haben uns eine

Weile unterhalten. Danach wollte ich noch die Metter sehen. Die Metter ist ein

kleiner Fluß, der _____ Bietigheim fließt. Also bin ich _____

die Hauptstraße eingebogen. Von dort sieht man schon die Brücke _____

der Metter. Tja, dann mußte ich wieder _____ Hotel gehen und mich

dort mit meinen Eltern treffen, denn wir wollten zusammen essen gehen.

KAPITEL 9 Dritte Stufe

3 Claudia had a lot to do this afternoon. Follow her route around town and describe where she went and what she did at each place she stopped.

> Geschenk aussuchen
> Reiseprospekt holen   Briefmarken kaufen   Kaffee trinken   Kuchen kaufen
> Geld wechseln

Reisebüro → Geschenkladen → Post → Bank → Bäcker → Café

Claudia ist zuerst ins Reisebüro gegangen. Im Reisebüro hat sie Reiseprospekte geholt. _____

_____

_____

_____

_____

_____

_____

_____

_____

_____

_____

4 Your friend has given you directions around Bietigheim. Trace them on the map of Bietigheim on page 220 of your textbook and see where you end up.

1. Vom Parkplatz nimmst du die Holzgartenstraße und gehst über die Brücke zur Hauptstaße. Auf der Hauptstraße biegst du links ab und gehst durch das Stadttor zum Marktplatz. Vorsicht! Das Stadttor ist eng! Auf dem Marktplatz gehst du vom Marktbrunnen aus nach rechts. Da ist sie, an der Ecke der Schieringsbrunnerstraße.

   Was ist da? _____

2. Vom Bürgerhaus gehst du die Schieringsbrunnerstraße in Richtung Kirche. Am Marktbrunnen biegst du dann links auf die Hauptstraße ab. Du gehst dann geradeaus, bis du zum Stadttor kommst. Geh durch das Tor, und nimm die erste Straße rechts. Du gehst am Fluß vorbei und biegst dann rechts ab.

   Was ist da? _____

3. Vom Stadttor ist der Weg über die Hauptstraße nicht zu empfehlen, da der Verkehr zu dicht und laut ist. Bieg also von der Hauptstraße in die Fräuleinstraße rechts ab. An der dritten Straße biegst du dann links ab, gehst zum Bürgerhaus und gehst von diesem aus links auf den Marktplatz zu. Vor der Kirche biegst du in Richtung Hormoldhaus auf der Pfarrstraße ab. Geh bis zum Ende dieser Straße, und da siehst du es auf der rechten Seite.

   Was ist da? _____

5 Use the map of Bietigheim on page 220 of your textbook to write directions between each pair of locations given below.

1. Rathaus / Stadttor

_____

_____

_____

2. Parkplatz / Evangelische Stadtkirche

_____

_____

_____

_____

3. Marktbrunnen / Posthalterei

_____

_____

_____

_____

6 Your school is hosting exchange students from Liechtenstein. They are planning on taking a scenic tour of your home town this weekend, and they have asked you to help prepare an itinerary for them. Write down detailed directions on how to get from your school to the scenic part of town.

_____

_____

_____

_____

_____

_____

_____

_____

_____

_____

_____

_____

KAPITEL 9 Dritte Stufe

■ Zum Lesen

1 Think of things you like to do when spring arrives. Are there special places or foods that you associate with spring? Make a list.

_____

_____

2 Read the text and then answer the questions that follow.

Die „Neue Eiszeit" hat begonnen!

Endlich! Den Winter haben wir hinter uns gebracht. Vorbei die kurzen grauen Tage. Das Frühjahr ist gekommen, und damit ist die gute Laune zurückgekehrt. Jetzt hält uns nichts mehr in den eigenen vier Wänden vor dem Fernseher. Wir gehen hinaus in die Parks, machen Ausflüge, gehen in Straßencafés und Restaurants mit Außenterrasse.

Ein attraktives Ausflugsziel im näheren Umfeld ist zum Beispiel die Stadt Glückstadt. Hier am Marktplatz bieten fast alle Restaurants, auch das Hotel Raumann, Sitzplätze an frischer Luft an. Außerdem ist das schöne Stadtbild immer wieder einen Ausflug wert.

Eine kleine Erholung vom Alltag ist aber auch ein Besuch in einem nahegelegenen Eis-Café. Hier in Elmshorn gleich das „Bella Italia" oder in Quickborn das „La Veneziana".

An den ersten schönen Tagen eine willkommene Abkühlung und Erfrischung. Man trifft sich, flirtet, gibt sich locker und entspannt. Hoffen wir nur, daß das Wetter ebenso mitspielt wie im vergangenen Jahr. Falls nicht, nehmen wir in unserem Eis-Café eben einen schönen heißen Cappuccino. Ich weiß ja nicht, wie es Ihnen geht, aber ich kann nur sagen: „Wann wird es endlich wieder Sommer?".

"Die 'Neue Eiszeit' hat begonnen!" from *Kreis Pinneberg Führer*, Spring 1993, p. 30. Reprinted by permission of ***Willie Rasche***.

3 What are the author's feelings toward spring and summer activities? List the adjectives and expressions that show what those feelings are.

_____

_____

4 What alternative does the article suggest in case of bad weather? How was the weather at the time the article was written? What in the text tells you that?

_____

_____

5 What is the only wintertime activity the article mentions? Is there such an enormous difference between winter and spring or summer activities where you live? Why or why not?

_____

Name _____ Klasse _____ Datum _____

KAPITEL 10 Viele Interessen!

■ Los geht's!

1 Use the words from the **Los geht's!** section in the petals of the flower to create an original short story. Start at any petal and include all words in your story.

Autobahn

Handbremse

sich interessieren

Fernsehmagazin

lustig

anschalten

Führerschein

■ Erste Stufe

1 Choose the best category for each of the following TV programs.

_____ 1. Europa heute: Demokratie für alle   **a.** Natursendung

_____ 2. Fußball: Werder Bremen gegen Bayern München   **b.** Politiksendung

_____ 3. Spielen wir mal ums Geld?   **c.** Nachrichten

_____ 4. Deutschland in 30 Minuten   **d.** Sportübertragung

_____ 5. Die Giraffenwelt   **e.** Ratesendung

2 After a long day of sight-seeing in Berlin, you turn on the TV at the youth hostel. A person announces what the station will air during the evening. Fill in the blanks to complete the program report.

> **Kriminalfilm**   **Nachrichten**   **Sportübertragung**   **Wetterbericht**   **Lustspiel**

Guten Abend, meine Damen und Herren! Um 19 Uhr sehen Sie zunächst die

_____ . Die Tagesschau ist heute 15 Minuten länger,

da wir über die Bundestagswahlen berichten. Im Anschluß daran sehen Sie

den _____ , und eines kann ich jetzt schon vorweg-

nehmen, am Wochenende wird es heiter und wolkig, die Temperaturen wer-

den Sie angenehm überraschen. Aber zurück zum Abendprogramm. Um

19.45 wird es spannend: Inspector Reed Rosas stellt einen Kriminellen im

_____ „Achtung Schleudergefahr!" Danach können

Sie sich um 21 Uhr an dem _____ „So 'ne Komödie"

erheitern. Und zum Abschluß des Abendprogramms um 22 Uhr senden wir

die _____ des Footballspiels Dallas Cowboys gegen

die San Francisco 49ers.

3 You are riding a street car in Munich when you overhear two people discussing their television interests. Complete their discussion by filling in the appropriate prepositions.

JULIANE Ja, die Fernsehprogramme bieten bessere Sendungen an, seitdem es mehrere Sender gibt. Wofür interessierst du dich denn?

EVELYN Nun, meine Freunde interessieren sich hauptsächlich _____ Politiksendungen und _____ Problemfilme. Obwohl ich mir diese Sendungen auch anschaue, freue ich mich mehr _____ Sendungen, die einfach nur unterhaltend sind.

JULIANE Genau wie ich! Ich interessiere mich besonders _____ Ratesendungen.

EVELYN Du auch? Den Leuten, die sich nur _____ Politik interessieren, sage ich, daß sie langweilig sind. Sie sollen sich auch mal Sportsendungen anschauen, zum Beispiel!

JULIANE Ich sage diesen Leuten immer, daß sie sich mehr _____ Werbung interessieren sollen, weil das mehr _____ Menschen aussagt als Politiksendungen!

EVELYN Übrigens, hast du schon das neue Waschmittel probiert?

4 Eva, a German exchange student, and Sandy, her host, are trying to decide what to do this afternoon. Complete their conversation by unscrambling Evas sentences.

SANDY Der Wetterbericht sagt, daß es heute nachmittag regnet. Also, aus unserm Picknick wird nichts. Wir können aber Fernsehen schauen.

EVA Programme / für / geben / Was / es / heute / ?

_____

SANDY Es gibt alle möglichen Programme. Wofür interessierst du dich überhaupt?

EVA Politiksendungen / mich / ich / für / interessieren / . /

_____

SANDY Furchtbar! Wie langweilig! Möchtest du nicht lieber einen spannenden Kriminalfilm sehen?

EVA nicht / ich / dafür / mich / überhaupt / interessiere / . /

_____

SANDY Schauen wir mal nach, was es sonst noch gibt! Magst du Talkshows? Heute in „Oprah" sprechen sie über Leute, die keine Entscheidungen treffen können.

EVA dafür / ich / schon / mich / interessiere / , / ich / aber / lieber / sehen / etwas Lustiges / möchte / . /

_____

HRW material copyrighted under notice appearing earlier in this work.

SANDY Prima! Heute läuft „die Simpsons", meine Lieblingssendung. Schauen wir uns doch „die Simpsons" an!

EVA Toll! / freue / darauf / mich / ich / . /

_____

5 Are you interested in the following? Why or why not?

Interessierst du dich für ...

BEISPIEL den Wetterbericht?
Ich interessiere mich für den Wetterbericht, weil ich gern draußen bin.

1. Ratesendungen?

   _____

2. Natursendungen?

   _____

3. Kriminalfilme?

   _____

4. die Nachrichten?

   _____

5. Sportsendungen?

   _____

6 You just heard a TV star explain why she thinks people should watch **Natursendungen**. You disagree. Write her a letter telling her what type of shows you think people should watch. Here's what the star said:

Also, ich glaube, daß man sich hauptsächlich für Natursendungen interessieren sollte. Natursendungen zeigen uns, was die Tiere, die Planzen, das Wasser und die Luft brauchen, damit die Umwelt gesund ist. Alle Leute sollten viel mehr über die Natur wissen, damit sie ein schönes Leben haben.

_____

_____

_____

_____

_____

_____

_____

◼ Landeskunde

1 You have learned that German teenagers enjoy a variety of free time sport activities that are also popular in the United States, such as in-line skating and mountain-biking. Name a typical German sport that is not quite as popular in the United States.

_____

2 Based on what you know about getting a driver's license in Germany and the United States (See **Ein wenig Landeskunde** on page 252 in your textbook), write down three major requirements that are different in Germany.

_____
_____
_____
_____
_____
_____
_____
_____
_____
_____
_____

3 You are on vacation in Germany staying with a host family that lives in downtown Munich. You would like to explore the Bavarian countryside and ask your hosts if you could borrow their car. Why do you think your hosts refuse your request?

_____
_____
_____
_____
_____
_____
_____
_____
_____

Name _____ Klasse _____ Datum _____

■ Zum Lesen

1 You have probably seen a few American cars from the 1960s and 1970s. How were those cars different from the new generation of American cars? Why do you think such an evolution took place?

_____

_____

_____

2 Read the following article and answer the questions.

Ein umweltfreundlicheres Auto?

In der Vergangenheit waren große Autos sehr beliebt. Heute suchen Industrie, Verbraucher und das Umweltministerium nach neuen Konzepten. So fand zum Beispiel ein Versuchsauto, Vision A, auf der Frankfurter Automobilschau großes Interesse.

Das Design des Autos stammt von der Firma Mercedes. Es ist nur 3,5 Meter lang, verbraucht weniger Energie als ein heutiger Kleinwagen und ist sehr umweltfreundlich. Es gibt aber noch einen großen Unterschied: Der kleine Mercedeswagen hat viel mehr Komfort als ein derzeitiges Auto der gleichen Größe, wie etwa ein Yugo. Natürlich gibt es für diesen Mercedes auch einen Elektromotor. Weil dieser Wagen so viel Interesse fand, hat die Firma BMW ihrerseits ein ähnliches Auto angekündigt.

3 Where can you buy the car described in the article? Is it the only one of its kind?

_____

_____

4 What are the main two advantages of this model? What optional equipment will be available?

_____

_____

5 What is the biggest difference between this car and present models of the same size?

_____

6 Do you think this car would appeal to you? Why or why not?

_____

_____

■ Zweite Stufe

1 Use the following clues to fill in the crossword puzzle. Note: In this puzzle ä, ö, and ü are spelled **ae**, **oe**, and **ue**.

1. Mit einem ____ kann man sich Sendungen in Farbe anschauen.
2. Leider hat mein Videowagen nur ein ____ für meine Videocassetten.
3. Ich muß nicht aufstehen, um den Fernseher anzumachen, denn ich habe eine ____.
4. Man braucht eine ____ auf dem Dach, um das Bild im Fernseher schärfer zu machen.
5. Heute abend will ich das Fußballspiel aufnehmen. Hoffentlich habe ich noch eine leere ____.
6. Ich habe einen neuen ____. Jetzt muß ich meinen Videorecorder nicht mehr auf den Boden stellen.
7. Peter setzt sich einen ____ auf, weil die Musik seinem Vater zu laut ist.

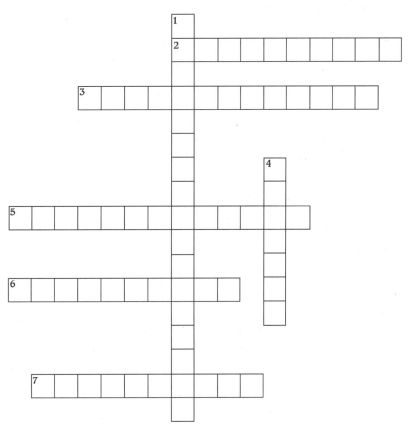

2 You are sitting in your host family's garden. The neighbors, the Krause family, are having a garden party to celebrate their grandmother's birthday. Complete the excerpts of their conversation with the correct forms of the verb **lassen**.

1. Susanne, _____ mich mal die Erdbeertorte probieren!

2. Volker, _____ du mich nachher mal mit deinem Mofa fahren?

3. Unsere Nachbarn _____ ihren Hund den ganzen Tag allein.

4. Ich _____ mir von Omi das Rezept für den Apfelstrudel geben.

5. Kinder, _____ euch den Kuchen schmecken!

KAPITEL 10 Zweite Stufe

3 Holger and Angelika want to find out what's on TV. Complete their conversation with the correct words from the word box. Be sure to use the correct forms of any verbs.

> mal laufen daß lassen ob

HOLGER Was _____ denn heute abend im Fernsehen?

ANGELIKA Nichts Besonderes! Aber am Donnerstag _____ meistens tolle Filme auf PRO-7.

HOLGER Weißt du, _____ die auch ausländische Filme mit Untertiteln zeigen?

ANGELIKA Ich glaube schon, _____ auch solche Filme laufen. Laß mich doch _____ ins Fernsehmagazin sehen!

HOLGER Tut mir leid. Ich habe keins.

ANGELIKA Warum _____ du nicht schnell zum Zeitungsstand und holst eins?

HOLGER Komm, _____ uns zusammen dorthin gehen!

4 You and your friend Jim are visiting Ulrike's house in Germany and each of you has a few requests. Turn the statements below into polite questions using the verbs **dürfen** and **können**.

BEISPIEL Du möchtest ein Glas Wasser haben. (dürfen)
Darf ich bitte ein Glas Wasser haben?

1. Du möchtest die Fernbedienung haben. (dürfen)

   _____

   _____

2. Du und Jim, ihr möchtet das Telefon benutzen. (dürfen)

   _____

   _____

3. Du möchtest Ulrikes Fotoalbum anschauen. (können)

   _____

   _____

4. Du und Jim, ihr möchtet euch ein Butterbrot machen. (können)

   _____

   _____

5 Your German pen pal is very interested in American TV and has asked you questions about what kinds of TV shows one can see during the week and on weekends. Using the words in the box, write your pen pal a brief note describing what kinds of shows are available and when and how often they run.

Sportsendungen
Werbesendungen
Natursendungen
der Wetterbericht
Spielshows
Talkshows Filme
Familiensendungen

laufen
läuft

meistens
(fast) immer
oft   kaum
regelmäßig
manchmal
sehr oft

nur am Wochenende
abends   morgens
dienstags
samstags
freitags   montags

_____
_____
_____
_____
_____
_____
_____

6 You are an American exchange student living in Germany and have been asked to write an article for the local newspaper describing the role of television in the life of the average young person in the United States. Give any statistics you can in the article (percentages of young people who watch certain kinds of shows, etc.), then discuss what you find good about television and what you dislike.

_____
_____
_____
_____
_____
_____
_____
_____
_____
_____

■ Dritte Stufe

1 Label the parts of the car.

2 You are trying to decide which car to buy. Complete the statements about the two cars below by filling in the correct forms of **ein, kein,** or **viel.**

BEISPIEL   Das neue Auto hat <u>ein</u> Schiebedach, aber der Gebrauchtwagen hat <u>keins.</u>

1. Das neue Auto hat _____ Klimaanlage, aber der Gebrauchtwagen hat _____.

2. Das neue Auto hat _____ Servolenkung, aber der Gebrauchtwagen hat _____.

3. Das neue Auto hat _____ Aufkleber, aber der Gebrauchtwagen hat _____.

4. Das neue Auto hat _____ Kassettenspieler, aber der Gebrauchtwagen hat _____.

5. Das neue Auto hat _____ Alarmanlage, aber der Gebrauchtwagen braucht

_____.

3 Fill in the blanks with the correct forms of **werden**.

1. Mein nächstes Auto _____ ein Schiebedach haben.

2. Ich _____ mir auch Breitreifen aufmontieren lassen.

3. _____ du dir als Extra einen CD-Spieler einbauen lassen?

4. Wir _____ auch schöne Rallyestreifen und Aufkleber an unser Auto machen.

5. Welches Auto _____ ihr euch kaufen?

4 How would you respond if someone told you the following things? Choose an appropriate expresssion from the box to reply to each of the situations below.

Das ist ja unglaublich!   Das finde ich nicht.   Das stimmt nicht!

Da stimm' ich dir zu!   Einverstanden!   Das gibt's doch nicht!

Das ist nicht möglich!   Da hast du recht!

1. A friend tells you she has won $10,000,000.00 in a sweepstakes.

   _____

2. A friend suggests that you go see a movie tonight, and you think it's a good idea.

   _____

3. Someone you know says that Russian cars are nicer than American cars.

   _____

4. One of your friends says that world hunger should not exist.

   _____

5 Write five sentences telling about items you don't have right now but believe you will have in the future.

Führerschein   Auto   Haus   Fernsehgerät   Motorrad   Boot

BEISPIEL   **Ich habe keinen Wagen, aber in ein paar Jahren werde ich mir einen tollen Wagen kaufen.**

1. _____

2. _____

3. _____

4. _____

5. _____

6 Answer the following questions in complete sentences.

Was wirst du ...

1. heute abend machen?

   _____

2. am Wochenende machen?

   _____

3. nächste Woche machen?

   _____

4. im kommenden Sommer machen?

   _____

5. nächstes Jahr machen?

   _____

7 Imagine your life about 20 years from now. Where will you live? What kind of job will you have? What car will you drive? Will you have children? Write a short paragraph describing your life in the year 2015.

   _____

   _____

   _____

   _____

   _____

   _____

   _____

   _____

   _____

   _____

   _____

   _____

   _____

   _____

KAPITEL 11

Mit Oma ins Restaurant

■ Los geht's!

1 Arnold wants to go out to dinner with his friend, Inge, to celebrate her birthday. Read the conversations below and match each one with the appropriate picture.

a.

ARNOLD   Ja, hier ist Hammerschmidt. Ich möchte einen Tisch bestellen.

BEDIENUNG   Für wieviel Uhr und für wie viele Personen?

ARNOLD   Für acht Uhr. Wir sind zwei Personen. Vielen Dank!

b.

ARNOLD   Also, jetzt trinken wir auf dein Wohl, Inge. Alles Gute!

INGE   Zum Wohl!

ARNOLD   Prost!

c.

BEDIENUNG   Haben Sie schon gewählt?

INGE   Ja, ich hätte gern das Wiener Schnitzel mit Bratkartoffeln und einen
            kleinen gemischten Salat, bitte!

ARNOLD   Ich nehme auch das Schnitzel, aber mit Pommes und auch einen Salat.

_____   _____   _____

◼ Landeskunde

1 In their interview on page 263 of your text book, Herr and Frau Heine mentioned that they had to travel up to one and a half hours to get to a city big enough for concerts or theater productions. Do you think Americans in small towns travel such distances for cultural events? Which events? Describe an event you attended for which you had to travel a long way. Describe when and where it was, and why it was important enough to travel so far.

_____

_____

_____

_____

_____

_____

2 Based on what you've read about cultural events in the German-speaking countries, which ones do you think are most important to the people in these countries? Are these same types of events important to Americans? What factors such as age, size of city, or government support, might play a role in the activities people choose?

_____

_____

_____

_____

_____

_____

3 List the activities you think are most popular among Germans of these different age groups. Then circle the ones you most enjoy.

TEENAGERS	UNIVERSITY STUDENTS	ADULTS
_____	_____	_____
_____	_____	_____
_____	_____	_____
_____	_____	_____

■ Erste Stufe

1 Ulrike and Otto had a wonderful time touring the city of Berlin. Below are some of the pictures they took. Describe where they must have gone or what they must have done for each of the pictures.

1.   2.   3.   4.   5.

1. _____

2. _____

3. _____

4. _____

5. _____

2 Complete the puzzle with the appropriate words for cultural events in the city.

1. All die kulturellen Sachen zusammen, die eine Stadt anzubieten hat.

2. Wo man Tänzer sehen und Singer hören kann.

3. Shakespeares „Julius Caesar", „Macbeth", und „Hamlet" sind bekannte ___.

4. Was man macht, wenn man durch die Stadt fährt, um sich die Sehenswürdigkeiten anzusehen.

5. Ein Boot, auf dem Touristen eine kurze Rundfahrt machen, nennt man ein ___.

6. Eine kurze Reise durchs Land mit einer großen Gruppe nennt man ___.

7. Ein anderes Wort für Zoo ist ___.

3 You and your sister, Bettina, are preparing for a short trip to visit some friends, but she is having a difficult time deciding what to take and what to do. She asks for suggestions and you give her those listed in parentheses.

BEISPIEL BETTINA Was soll ich mitbringen? (einen warmen, dicken Mantel)
DU **Ich schlage vor, daß du einen warmen, dicken Mantel mitbringst.**

1. BETTINA Sollen wir mit dem Zug oder mit dem Bus fahren? (mit dem Zug)

   DU _____

2. BETTINA Was sollen wir mit unseren Freunden unternehmen? (sich die Altstadt ansehen)

   DU _____

3. BETTINA Was soll ich unseren Freunden mitbringen? (Blumenstrauß)

   DU _____

4. BETTINA Wie lange möchtest du am liebsten da bleiben? (vier Tage)

   DU _____

5. BETTINA Wieviel Geld soll ich mitbringen? Zwanzig Mark? (mindestens hundert Mark)

   DU _____

4 Look at the pictures below and decide what these people would like to do. Use the correct forms of **würden**. For #4, fill in the box with a picture of yourself.

BEISPIEL _____

 1. _____

 2. _____

 3. _____

 4. _____

5 Wunschträume Now that you've seen what so many other people would like to do, think about what you would like to do! Imagine you won 3,000,000 DM. What would you buy? Would you travel? Where would you go? Who would you take along?

_____

_____

_____

_____

6 Using the events calendar on p. 264 in your textbook as a model, create an events calendar for your town or a city near you. Then answer the questions beneath it.

	Konzerte	Oper	Theater	Ballett
23. Do				
24. Fr				
25. Sa				
26. So				

1. Was kann man Montag abend um sieben Uhr machen?

_____

2. Wie viele Konzerte gibt es diese Woche?

_____

3. Was möchtest du am liebsten machen?

_____

7 Pretend you write a newspaper column critiquing cultural events for your area. Select one of the events from the calendar you just created to suggest or recommend to your readers in your column. Pick another one which you would not recommend. Be sure to provide reasons for your recommendations!

_____

_____ _____

_____ _____

_____ _____

_____ _____

_____ _____

_____ _____

■ Zweite Stufe

1 What adjectives do you use in German to describe things from these parts ot the world?

Ägypten _____ Griechenland _____

China _____ Indien _____

Mexiko _____ Türkei _____

Deutschland _____ Italien _____

Spanien _____ Polen _____

Frankreich _____ Norwegen _____

2 Read the signs below and fill in the appropriate adjective endings.

1.

3.

deftig◯ Wurst- und Käsespezialitäten

2.

griechisch◯ Salat mit
gebraten◯ Kartoffeln

5.

ägyptisch◯
Schisch-Kebab mit
gegrillt◯ Fleisch

4.

3 This grocery store features international specialties. Look at the store window and complete the advertising flyer to the right.

Feinkost Dahlemann
Haus der internationalen Spezialitäten

Wir haben ...

deutsch_____

norwegisch_____

französisch_____

italienisch_____

griechisch_____

ägyptisch_____

4 Anja and Petra want to go out to eat tonight. They discuss the food at one restaurant to decide whether or not to go there. Complete their conversation by filling in the blanks with words and phrases from the box below.

> mir   gesagt   scharfes   würziges   gehört   deftiges

ANJA   Ich würde gern in „Omas Restaurant" essen. Man hat _____ gesagt,

daß die eine gut bürgerliche Küche haben. Da bekommt man gutes, deutsches Essen:

Kartoffeln, Rotkohl und gebratenes Fleisch, alles ganz mild. Du weißt ja, ich mag kein

_____ Essen.

PETRA   Ja, ich habe auch _____ , daß „Omas" ein tolles Restaurant ist. Es gibt

dort ein _____ Pfannengericht, das sehr gut schmecken soll.

ANJA   Man hat mir _____ , daß man da auch ein paar ausländische Gerichte

essen kann, zum Beispiel ein _____ Schisch-Kebab, falls du was

Schärferes essen möchtest.

PETRA   Jetzt habe ich großen Hunger. Gehen wir los!

5 Put together two appetizing meals from the choices below. Pick adjectives to describe the foods you select and write them on the menu placards below. Use the signs from Activity 2 as a model.

mariniert	der Lachs
würzig	die Krabben
griechisch	das Schisch-Kebab
gegrillt	der Schinken
geräuchert	der Rotkohl
gebraten	die Klöße
mediterran	der Salat
deutsch	

Menü I	Menü II
_____	_____
_____	_____
_____	_____
_____	_____
_____	_____

6 Paul is enthusiastic about things he wants to do, but his friend, Gustav, is in a terrible mood and is telling Paul all the bad things he has heard. Use the items in parentheses to formulate Gustav's responses.

BEISPIEL   PAUL   Ich will nächstes Jahr Skilaufen lernen. (gefährlich)
               GUSTAV   **Ich habe gehört, daß Skilaufen sehr gefährlich ist.**

1.   PAUL   Ich würde gern Medizin studieren. (man hat keine Freizeit)

GUSTAV   _____

_____

2.   PAUL   Ich will nächsten Sommer Urlaub in Afrika machen. (zu heiß)

        GUSTAV _____

                  _____

3.   PAUL   Ich habe Lust, mir eine Katze zu kaufen. (zu teuer, muß zum Tierarzt bringen)

        GUSTAV _____

                  _____

4.   PAUL   In der Schule will ich Trompete lernen. (zu laut)

        GUSTAV _____

                  _____

5.   PAUL   Samstag abend habe ich vor, in die Disko zu gehen.

                  (ungesund, zu viele Leute rauchen dort)

        GUSTAV _____

                  _____

7 Write a dialogue using the following situation as a guide.

A German exchange student, Antje, has come to live with your family, and you would like to take her out for Mexican food, something she has never had before. However, she has heard a lot a negative things about Mexican food and expresses her reservations. You describe the food in a more positive light and convince her to give it a try.

_____

_____

_____

_____

_____

_____

_____

_____

_____

_____

_____

_____

_____

_____

■ Dritte Stufe

1 Unscramble the following words. Then unscramble the circled letters to reveal what the words are parts of!

1. PSNUPE

2. SPENROVSIE

3. LEBIGEAN

4. SPINCANESHE

5. KRÄNTEGE

6. CHRIPHAUTGEET

Das sind alle Teile von einer ⬡⬡⬡⬡⬡⬡⬡⬡⬡⬡⬡⬡ .

2 Place the following foods under the appropriate headings.

geräuchertes Filet   frische Erdbeeren   Eis   Klöße   gemischtes Gemüse
Rote Grütze   Schwarzwaldkuchen   Wiener Schnitzel   griechischer Salat
Seebarschfilet   Rotkohl   Sauerkraut
gefülltes Ei   Seezunge   Schweinerückensteak   rohe Austern

NACHSPEISEN	HAUPTGERICHTE	BEILAGEN	VORSPEISEN

3 Imagine that you are opening a restaurant with some of your friends. Create a menu for your new restaurant. Think about what sort of restaurant it will be, (**griechisch, italienisch, amerikanisch**, etc). Choose dishes that are appropriate and don't forget to put the name of your restaurant at the top of the menu!

_____

Suppen   *Vorspeisen*

_____   _____

_____   _____

Beilagen   *Hauptgerichte*

_____   _____

_____   _____

_____   _____

_____   _____

Nachspeisen   *Getränke*

_____   _____

_____   _____

4 You were eating dinner with a friend and his family. Fill in the blanks in these excerpts of the conversations you heard with forms of the verb **hätten**.

1. Der Vater sagt: „Wir _____ gern eine Speisekarte."

2. Dein Freund sagt: „Ich _____ lieber eine Suppe."

3. Der Kellner fragt: „Was _____ Sie gern?"

4. Die Mutter fragt euch: „_____ ihr gern ein Stück Kuchen?"

5. Du fragst deinen Freund: „Was _____ deine Eltern gern?"

6. Die Mutter fragt dich: „Was _____ du gern?"

5 Ilke invited Thomas to go out to eat for his birthday. Rewrite their dialogue in the proper sequence.

_____ ILKE Jetzt trinken wir auf dein Wohl, Thomas! Zum Wohl! Alles Gute!

_____ ILKE Ja, bringen Sie mir das gegrillte Schisch-Kebab mit Bratkartoffeln und einem gemischten Salat.

_____ THOMAS Ich hätte gern ein Spezi.

_____ BEDIENUNG Sind Sie so weit? Haben Sie schon gewählt?

_____ THOMAS Prost! Zum Wohl!

__1__ THOMAS Bringen Sie uns die Speisekarte, bitte.

_____ THOMAS Ich hätte gern den Schinken mit Klößen und Rotkohl, bitte.

_____ ILKE Ich hätte gern ein Mineralwasser.

_____ ILKE Herzlichen Glückwunsch zum Geburtstag!

_____ BEDIENUNG Bitte sehr. Möchten Sie vielleicht ein Getränk, bevor Sie die Hauptgerichte bestellen?

6 Write a dialogue based on the following situation.

Look back at the menu you created in Activity 3. Imagine that you are now waiting on a table of customers in your own restaurant, but the customers, since this is their first time there, don't know exactly what to order. They ask you for your suggestions. Which appetizers, drinks, main dishes, and desserts would you recommend? Do you convince the customers to try your recommendations, or do they select something else?

_____

_____

_____

_____

_____

_____

_____

_____

_____

_____

_____

■ Zum Lesen

1 „Als meine Eltern beschlossen, nach Deutschland zu ziehen, waren meine Schwester Seving und ich Kinder." You have just read the first line of a text. Based on this alone, what do you expect to read about in the following passage?

_____

2 Now read the text and answer the questions that follow.

Neu in Deutschland
Mustafa Örkan (20)

A Seving war noch ein Baby, ich war zehn. Meine Eltern wollten Geld verdienen und ein besseres Leben für sich und für uns haben. Zuerst haben sie nur Seving mitgenommen. Ich bin bei meinen Großeltern in der Türkei geblieben. Aber dann, als mein Vater eine Wohnung und Arbeit in einem Kohlenbergwerk in Dortmund gefunden hatte, kamen sie im Sommer zurück und wollten mich mitnehmen. Ich freute mich und sagte sofort „ja". Ich hatte aber auch viel Angst. Angst vor der neuen Umgebung, der fremden Sprache und den neuen Menschen.

B Die ersten Tage in Deutschland waren toll. Wir wohnten in einem Viertel, in dem es viele Türken gab. Die Deutschen nannten es „Klein Ankara". Dann begann das Schuljahr, und ich sollte eine Hauptschule besuchen. Ich kam in eine Vorbereitungsklasse, in der nur türkische Schüler waren. In einem Jahr lernte ich Deutsch! Natürlich nicht so gut wie ein Deutscher. Aber ich konnte viel verstehen und auch schreiben. Nur mit der Aussprache hat es am Anfang nicht so gut geklappt. Nach einem Jahr besuchte ich die sechste Klasse. In der Klasse waren jetzt auch deutsche Schüler, und ich mußte doppelt soviel arbeiten, um keine schlechten Noten zu bekommen.

C Im Laufe der Zeit habe ich in Dortmund viele Freunde gewonnen und hatte auch keine Angst mehr vor meiner neuen Heimat. Nach etwa sieben Jahren machte das Bergwerk zu, und alle Arbeiter wurden entlassen, natürlich auch mein Vater. Da beschlossen meine Eltern, in die Türkei zurückzukehren. Für sie war es nicht schwierig, aber mir tat das sehr weh. Als wir wieder in Ankara waren, war fast alles so neu für mich wie damals, als ich zum ersten Mal nach Deutschland kam. Jetzt sind schon zwei Jahre vergangen, und ich studiere heute Germanistik in Ankara. Wenn ich mit dem Studium fertig bin, möchte ich wieder nach Deutschland kommen.

3 Answer the following questions based on what you read.

1. Why did Mustafa move to Germany?

_____

2. What are some of the problems that Mustafa encountered as a foreign student in

Germany? _____

3. Why did Mustafa leave Germany?

_____

4 Reread each paragraph of the text and summarize in one or two sentences what each section is about.

A. _____

B. _____

C. _____

Die Reinickendorfer Clique

■ Los geht's!

1 How would you get ready for a party to which you have invited a group of friends to your house? Complete the following checklist of things to do.

1. Zum Trinken muß ich _____

    und _____ besorgen.

2. Als Vorspeise kann ich ja _____

    und _____ anbieten.

3. Wenn jemand allergisch gegen _____ ist, kaufe ich lieber noch

    _____ .

4. Zur Unterhaltung will ich unbedingt Musik von _____ ,

    _____ und _____ spielen.

5. Ansonsten gibt es dann noch _____ und

    _____ zum Essen, und diejenigen, die Vegetarier sind,

    können mein neues Rezept für _____ probieren.

6. Gäste, die etwas früher kommen, können mir dann beim _____

    und _____ helfen.

7. Und zur Party anziehen will ich _____ mit

    _____ und _____ , denn das sieht total

    fesch aus!

■ Landeskunde

1 Based on what you know about dining in Germany, write down what you might order at each of the following eating establishments.

   1. Italienisches Restaurant

   _____

   _____

   _____

   2. Fast-food Restaurant

   _____

   _____

   _____

   3. Gaststätte

   _____

   _____

   _____

   4. Biergarten

   _____

   _____

   _____

2 Define or explain each of the following in terms of the customs and traditions in the German-speaking countries (see **ein wenig Landeskunde** on page 295 of your text book).

   1. Stammtisch

   _____

   _____

   _____

   2. Des Menschen „bester Freund"

   _____

   _____

   _____

   3. Ist dieser Platz noch frei?

   _____

   _____

   _____

   4. Ein Wassernapf in einem Lokal

   _____

   _____

   _____

■ Erste Stufe

1 Explain the difference between the following word pairs:

1. ein Pool / eine Schwimmhalle

   _____

2. ein Anfänger / ein Erfahrener

   _____

3. eine Bucht / ein Strand

   _____

4. eine Insel / eine Oase

   _____

2 a. Complete the puzzle with the past participles of the verbs listed on the left

1. schwimmen
2. passieren
3. gewinnen
4. tragen
5. gehen
6. sein
7. fahren
8. anrufen
9. üben
10. sprechen
11. haben
12. langweilen
13. sehen

b. How many examples can you think of for the word in the shaded box?

_____

_____

3 The Becker family just spent a week in Berlin. Based on the points of interests listed in the box, write an account of what they did during their vacation. Remember to use connectors in your narration.

> das Pergamon-Museum besichtigen   sich Reste der Berliner Mauer anschauen
> im berühmten Café Kranzler Kaffee trinken   einem Leierkastenmann zuhören
> auf dem Kurfürstendamm bummeln   unter dem Brandenburger Tor stehen

_____

_____

_____

_____

_____

_____

_____

_____

_____

_____

4 For each cue given below, write two sentences using the appropriate preposition. Write one sentence indicating direction and one sentence indicating location.

1. die Schweiz
   a. Wir fahren jeden Sommer _____ .

   b. Warst du schon mal _____ ?

2. Ostsee
   a. Sabine fährt gern _____ .

   b. _____ ist das Wetter oft angenehm.

3. Kino
   a. Mit meiner Clique gehen wir oft _____ .

   b. _____ kaufe ich mir oft Eis, bevor der Film beginnt.

4. Alpen
   a. Zum Wintersport fährt meine Familie immer _____ .

   b. Meiner Meinung nach sind die besten Skiresorts _____ .

5. Insel Fehmarn
   a. Ich fahre jeden Sommer mit den Pfadfindern _____ .

   b. Es gibt eine tolle Jugendherberge _____ .

KAPITEL 12 Erste Stufe

5 Ismar had a lot to do to get ready for his party. Trace his route around town and describe where he went and what he did.

anschließend	Markt
zuerst	Postamt
danach	Kaufmann
dann	Musikgeschäft
hinterher	Metzger
schließlich	Schreibwarengeschäft
daraufhin	Konditorei

Kuchen kaufen
Brief einstecken
Limo holen
3 neue CDs kaufen
frisches Obst und Gemüse aussuchen
Batterien für die Fernbedienung kaufen
Hackfleisch holen

BEISPIEL **Zuerst ist der Ismar ins Schreibwarengeschäft gegangen, dort hat er neue Batterien für die Fernbedienung gekauft.**

_____
_____
_____
_____
_____
_____
_____
_____
_____
_____
_____
_____
_____
_____

6 You have decided to spend a week at the *La Santa* resort because of the many features and activities it has to offer. Write a note to a friend convincing him or her to join you there. Use the layout on page 290 in your textbook as the basis for your arguments. Choose at least five different features or activities you think he or she would be interested in.

_____
_____
_____
_____
_____
_____

KAPITEL 12 Erste Stufe

■ Zweite Stufe

1 Write sentences using the command forms of the verbs indicated.

1. ihr / essen _____

2. du / kaufen _____

3. du / trinken _____

4. ihr / lesen _____

5. du / nehmen _____

6. ihr / vergessen _____

2 Do you know the origin of these dishes? Show your culinary knowledge by writing a sentence indicating the origin of each dish.

BEISPIEL **Paella ist ein typisches spanisches Gericht.**

    1.   2.   3.   4.   5.

1. _____

_____

2. _____

_____

3. _____

_____

4. _____

_____

5. _____

_____

3 **Was gibt es zum Essen?** Write sentences beginning with **es gibt** and using the cues given. Write out the abbreviations.

1. griech. Salat m. griech. Oliven

   _____

2. ital. Eis m. heiß. Schokolade

   _____

3. gut gewürzt. Rindersteak m. amerik. Kartoffeln

   _____

4. ein. süß. Nachspeise m. frisch. Obst

   _____

5. ???

   _____

4 You and your parents are in a restaurant. The waiter comes to take your order. Write down what each of you orders using the different ways you know of expressing what you will have.

> Bringen Sie mir bitte ...   Ich habe gehört, daß ...   ... bitte!   Kann ich ... haben?
> Ich hätte gern ...   Ich nehme ...   Für mich ....., bitte!

KELLNER   So, was darf's sein? Möchten Sie zuerst etwas trinken?

MUTTER   _____

VATER   _____

DU   _____

KELLNER   Und wer möchte eine Vorspeise?

MUTTER   _____

VATER   _____

DU   _____

KELLNER   Was bekommen Sie nun als Hauptgericht?

VATER   _____

MUTTER   _____

DU   _____

KELLNER   Wie wäre es mit einer Nachspeise?

VATER   _____

MUTTER   _____

DU   _____

KAPITEL 12 Zweite Stufe

5 You are visiting a friend who is trying to get you to leave. For each hint he gives to convince you to go, you have a response.

BEISPIEL

> FREUND Der Jahrmarkt ist gerade auf dem Marktplatz.
> DU **Das ist ein guter Vorschlag!** or **Nein, da ist es mir zu laut!**

FREUND Die Karten für das Bon Jovi Rockkonzert sind ab 13 Uhr zum Verkauf.

DU _____

FREUND Die Fete bei Ute geht um 7 Uhr los.

DU _____

FREUND Es soll gleich anfangen zu regnen.

DU _____

FREUND Ihr habt morgen ein schwere Matheprüfung.

DU _____

FREUND Der neue Film mit Tom Cruise läuft heute nachmittag im Kino.

DU _____

6 Describe your favorite dish. What is the name of it? What are its ingredients? Give directions on how to prepare the dish.

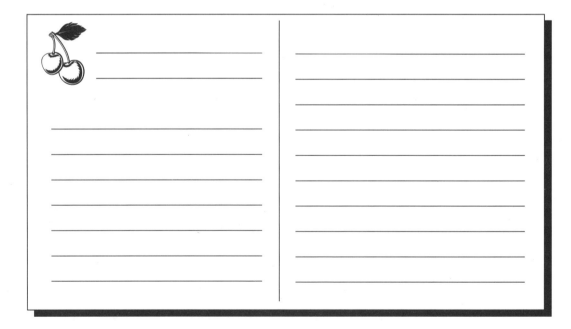

■ Dritte Stufe

1 After having read the article on Franziska van Almsick in your textbook on page 297 how would you define the following words from the text?

    1. Schlabberpulli
       a. ein Pulli für Kleinkinder, den sie beim Essen tragen
       b. ein Pulli, der viel zu groß, aber fesch ist
       c. ein Pulli, der vom Regen naß geworden ist
       d. ein Pulli, den man beim Schwimmen trägt

    2. Jungstar
       a. ein neuer Stern in der Galaxie
       b. ein Idol
       c. ein junger Spitzensportler
       d. Name ihres Schwimmvereins

    3. Hochgeschwindigkeitsbaden
       a. ein schnelles Bad nehmen
       b. Wettschwimmen
       c. in einen Pool springen
       d. im Wellenbad schwimmen

    4. Beobachter
       a. ein Zuschauer
       b. ein Kellner
       c. ein anderer Athlet
       d. Name einer Zeitung

2 How many vocabulary words from the **Dritte Stufe** can you find in this **Wörterbogen?** You must use letters in order, but you can skip letters you don't need.

A R W E I H L O D N J E T O G E R L J T A C O K E N T

BEISPIEL   **elegant** _____   _____

_____   _____

_____   _____

Name _____ Klasse _____ Datum _____

3 Was trägst du gern? Write four sentences describing articles of clothing you like to wear using the words in the boxes at the right.

BEISPIEL **Ich trage sehr gern einen großen Pulli.**

modisch blau
elegant weiß
groß schwarz
salopp ???
gestreift

???
Smoking Jeans
Abendkleid
Hemd Pulli
Bluse Schuhe
Wildlederjacke

_____

_____

_____

_____

_____

_____

4 Imagine that your friends have come to you for advice on what to wear in the following situations. **Was schlägst du vor?**

BEISPIEL Ellen geht in die Disko tanzen.
Ich würde mir eine Jeans mit einem ganz tollen Hemd anziehen.

1. Jason ist zu einer Hochzeit eingeladen.

_____

_____

2. Maria muß mit ihren Eltern auf einen Ball gehen.

_____

_____

3. Elisabeth geht Freitag abend auf eine Geburtstagsfete.

_____

_____

4. Michael hat Karten für das Rolling Stones Konzert.

_____

_____

5. Matthew weiß nicht, was er zur Schulfeier anziehen soll.

_____

_____

Name _____ Klasse _____ Datum _____

5 Lothar and Rudi are trying to decide how to spend their summer vacation. What do you think they want to do? Compose their conversation based on the pictures below.

BEISPIEL LOTHAR **Wohin möchtest du lieber? In die Berge oder an die Ostsee?**
RUDI **Also ich fahre doch lieber in die Berge.**

2. _____
_____

3. _____
_____

4. _____
_____

5. _____
_____

6 You have received a generous spending allowance to redo your entire wardrobe. What changes would you like to make? What colors, fabrics, and accessories would you like to have in your wardrobe?

_____
_____
_____
_____
_____
_____

KAPITEL 12 Dritte Stufe

■ Zum Lesen

1 Do you participate in an extra-curricular activity? If so, what is it and how much time (i.e. how many hours per day/week) do you practice on average?

_____

_____

_____

2 This article focuses on a girl named Franziska van Almsick. Read the article, then answer the following questions.

SCHWIMM-AS

Sie ist erst 14 Jahre jung und schon ein Schwimmstar. Die Berlinerin Franziska van Almsick jagt Rekorde. Vier Medaillen gewann sie bei den Olympischen Spielen in Barcelona. Sie war bereits Weltrekordlerin über 50 Meter und 200 Meter Freistil sowie über 100 Meter Lagen — und ein Ende der Erfolgsserie ist nicht in Sicht. Fotografen und Fans belagern Franziska bei jedem Wettbewerb. Ein Reporter sprang sogar einmal ins Schwimmbecken, um sie zu interviewen. Glücklich über ihren Ruhm ist die Berlinerin nicht immer. „Das ist nicht so schön, wie man denkt. Der Leistungsdruck wird zu groß." Franziska hofft, daß sie auch als Star ein normaler Mensch bleibt. Außerdem ist sie davon überzeugt, daß auch sie irgendwann einmal bei einem Wettbewerb versagt. Denn: „Jede Serie hat einmal ein Ende", meint Franziska.

"Schwimm-As" from *JUMA: Das Jugendmagazin*, 3/93, p. 4. Copyright © 1993 by Tiefdruck Schwann-Bagel GmbH. Reprinted by permission of *Tiefdruck Schwann-Bagel GmbH*.

1. Wie erfolgreich war Franziska bei den Olympischen Spielen in Barcelona?

   _____

2. Worin hält sie bereits Weltrekorde?

   _____

3. Woran merkt man, daß das junge Mädchen so populär ist?

   _____

   _____

4. Was hält die Schwimmerin von ihrer Popularität?

   _____

5. Glaubt Franziska, daß sie für immer und ewig neue Rekorde aufstellen kann?

   _____

   _____

3 Was hältst du vom Leistungssport? Mit welchem Alter sollte man mit dem Leistungssport anfangen, wenn überhaupt? Was sind die Vor- und Nachteile des Leistungssports bei Jugendlichen?

_____

_____

_____

_____

■ Für mein Notizbuch

_____

_____

_____

_____

_____

_____

_____

_____

_____

_____

_____

_____

_____

_____

_____

_____

_____

_____

_____

_____

_____

_____

_____

_____

_____

_____

_____

■ Für mein Notizbuch

KAPITEL 2 Notizbuch

■ Für mein Notizbuch

_____

_____

_____

_____

_____

_____

_____

_____

_____

_____

_____

_____

_____

_____

_____

_____

_____

_____

_____

_____

_____

_____

_____

_____

_____

_____

KAPITEL 3 Notizbuch

■ Für mein Notizbuch

■ Für mein Notizbuch

■ Für mein Notizbuch

■ Für mein Notizbuch

◼ Für mein Notizbuch

KAPITEL 8 Notizbuch

■ Für mein Notizbuch

_____

_____

_____

_____

_____

_____

_____

_____

_____

_____

_____

_____

_____

_____

_____

_____

_____

_____

_____

_____

_____

_____

_____

_____

_____

_____

_____

_____

_____

_____

_____

_____

_____

Name _____ Klasse _____ Datum _____

■ Für mein Notizbuch

■ Für mein Notizbuch

KAPITEL 11 Notizbuch

■ Für mein Notizbuch